El gran libro de las Manualidades creativas para mayores

Más de 60 ideas con actividades ocupacionales y de activación

Índice

ROBIN

Dar cariño

Tenemos tanto para dar:
una sonrisa, una palabra cariñosa,
una pequeña atención.
Para uno no significa nada,
¡pero para el otro lo es todo!

Jean Paul

Introducción

Queridos lectores y lectoras,

Sentir, dar forma, concentrarse y recordar: las manualidades creativas, además de ser amenas, estimulan positivamente los sentidos y las capacidades cognitivas. Estas suelen disminuir al llegar a la tercera edad, por eso es en esa etapa de la vida cuando se precisa estimularlas a través de actividades ocupacionales y de activación, con ejercicios sencillos y creativos y proyectos personalizados. Este libro va dirigido a todas aquellas personas que acompañan, cuidan y atienden a personas mayores, tanto si estas gozan de buena salud como si presentan limitaciones cognitivas o motrices.

Las ideas presentadas en este libro se pueden llevar a cabo en grupo o de forma individual y sin necesidad de grandes preparativos. Los materiales utilizados se encuentran en cualquier hogar o son fáciles de conseguir. Los miembros del grupo no necesitan tener unos conocimientos previos antes de realizar cualquiera de estos proyectos. Las instrucciones no están orientadas según las limitaciones cognitivas de las personas afectadas, sino según sus capacidades, recursos y necesidades específicas. Las indicaciones prácticas para realizar las ideas y las propuestas para una activación adicional, ayudan a trabajar, de un modo profesional, manualidades creativas con personas mayores.

Este libro ofrece unos conocimientos profesionales y mucha inspiración. Le servirá de apoyo en el acompañamiento de personas mayores, proporcionándole a usted, a sus parientes y amigos, muchas horas agradables mientras comparten actividades creativas. Así se lo deseo.

Katja Koch

Información básica

Por qué este libro

Vivir significa experimentar. Aquella persona que siempre experimenta y prueba nuevas cosas, mantiene despierta su curiosidad y participa en la vida, consigue así mantenerse joven, disfrutar en la tercera edad y aplazar el envejecimiento mental y físico.

Como asesora autónoma de personal cuidador, mantengo un diálogo permanente con profesionales cualificados y con cuidadores familiares. A menudo, tanto familiares como responsables y amigos que cuidan de personas mayores sanas o de personas con salud disminuida, muestran un gran deseo de ayudar, pero también mucha preocupación y desorientación. En enfermedades como la demencia senil, la personalidad y el comportamiento cambian de forma significativa. En una situación así, además de las atenciones médicas y las necesidades de organización, no se puede perder de vista en ningún momento a las personas afectadas. Como primera medida, los miembros de la familia deben asumir los cambios y después, encontrar una nueva forma de relacionarse. Lo importante es seguir viviendo, experimentando y disfrutando de la vida. Pero muchas veces suele resultar difícil cuando se producen estas situaciones. Con este libro deseo aportar mi pequeña contribución para que, a través de actividades creativas, tanto las familias afectadas como el personal cuidador mantengan los vínculos de relación con sus familiares y clientes, encuentren otras formas de comunicación, se rían juntos y disfruten de la vida.

NOTA:
Este libro le acompañará en la vida cotidiana para realizar manualidades creativas con personas mayores, pero en ningún caso se trata de una guía médica. En las páginas 138-139 se incluye un resumen de las señales que alertan sobre la necesidad de acudir a un médico y más consejos de cómo tratar a personas con limitaciones cognitivas.

Manualidades creativas para personas mayores

Las manualidades realizadas con personas mayores que sufren una reducción en sus capacidades físicas y/o cognitivas, suponen un reto especial. No hay nada más bonito que ver a las personas afectadas, llenas de orgullo, sosteniendo sus manualidades terminadas en las manos. Para que las manualidades se conviertan en una experiencia colectiva y feliz para todos, conviene prestar atención a los siguientes consejos:

1 No exigir demasiado al realizar las manualidades

Se deben elegir actividades que no estresen a los participantes. De lo contrario, el placer por el trabajo desaparece rápidamente. Usted mismo es quien mejor puede valorar las capacidades de las personas que participan. Por ello, en este libro no se indica el grado de dificultad de los proyectos, sino que deben elegirse de modo individualizado. Se recomienda comenzar por un ejercicio fácil y luego ir aumentando el grado de dificultad.

2 Objetivo al trabajar las manualidades

Las manualidades deben perseguir un objetivo determinado, que se ha de comentar con las personas mayores, y no servir como una mera ocupación para pasar el rato. Se trata de crear algo con las propias manos y ese "algo" debe tener una utilidad práctica: decorativa, lúdica, de embellecimiento de la mesa y la habitación, como regalo o recuerdo de un bello acontecimiento.

3 Estética

Aquellas personas con limitaciones cognitivas que han realizado habitualmente actividades creativas a lo largo de su vida, suelen valorar mucho la estética. Por eso es importante cuidar la elección de los materiales para que también puedan ser utilizados por personas con trastornos de conversión o visuales. Permita que los participantes decidan los colores o los diseños.

4 Grupos pequeños

Si se desea trabajar actividades creativas en grupo, conviene que este no sobrepase cierto número de miembros. Un grupo demasiado numeroso requiere un esfuerzo excesivo. En caso de que sea imposible evitarlo, se recomienda buscar personal de apoyo para la dirección y asistencia del grupo. Además, es importante que los intereses de los participantes sean básicamente parecidos o se compaginen bien y que todos estén de acuerdo con la actividad que se trabaja en grupo.

5 Indicaciones de trabajo

Comente el proyecto planeado con los miembros del grupo. Explique cada paso del trabajo de forma breve y concisa y facilite a todos los participantes el tiempo suficiente para la realización de las distintas etapas. Hable siempre despacio y claro, poniendo atención en el registro del tono y de la voz.

Estas indicaciones de trabajo son muy importantes cuando se trata de un grupo, pues de lo contrario se pueden dar malentendidos rápidamente. No utilice registros de voz altos o demasiado estridentes. Puede servir de ayuda que se anoten los pasos de trabajo en una pizarra, de modo que queden visibles para los participantes en todo momento.

6 Lugar de trabajo y materiales

Procure crear una atmósfera apropiada. Naturalmente, cada participante necesitará una silla y una mesa con espacio suficiente. Coloque todos los materiales de modo que cualquier miembro del grupo pueda acceder a ellos sin dificultad.

7 Una cosa después de otra

Dé una sola indicación cada vez. Cuando se haya realizado un paso del trabajo, ya se puede pasar al siguiente.

8 Tener en cuenta las limitaciones sensoriales

Tenga en cuenta también las capacidades físicas reducidas de las personas afectadas. Hable alto y claro, dibuje las líneas que se han de recortar, repasándolas con un rotulador negro de punta gruesa, y adapte los materiales de trabajo a los participantes. No se trata de obtener ni unos resultados ni un rendimiento determinado, sino de que las personas afectadas disfruten con la actividad que realizan.

9 División del trabajo

Realice una evaluación realista de las capacidades de las personas enfermas. Divida las tareas orientándolas según las posibilidades individuales de cada persona. Retirarle a alguien un trabajo que se le ha asignado previamente, suele ser interpretado como algo negativo por el participante. En cualquier caso, está permitido ayudar y transmitir con ello un sentimiento de colectividad a cada miembro. El grupo debería estar integrado por personas con fuerzas diferentes, posibilitando así que se ayuden entre ellas.

10 Información conocida y biográfica

Siempre que sea posible, utilice materiales y técnicas relevantes biográficamente para los participantes. Para una persona puede tratarse de las labores con lana, para otra de las manualidades con papel y, para una tercera, de su afición a los juegos de cartas. La información biográfica estimula la memoria de los participantes y en muchos casos les motiva para ser activos y entablar conversación.

11 Las estaciones del año

Encauce las propuestas de manualidades según las estaciones del año y elija los materiales correspondientes para cada una. De este modo se facilita una orientación temporal, en especial a aquellas personas mayores con limitaciones cognitivas.

Técnica básica: transferir patrones

En este libro encontrará algunas ideas para realizar motivos sencillos con papel u otros materiales.
En la parte final del libro vienen impresos algunos patrones a tamaño natural. En caso necesario, se pueden ampliar con ayuda de una fotocopiadora.
Para trabajar manualidades con personas mayores, suele ser de gran ayuda repasar los contornos de los motivos (ver Método del papel transparente) o elaborar una plantilla de los mismos para cada participante (ver Realizar plantillas).

Método del papel de calco

Si se utiliza papel de calco, se pone este directamente sobre el cartón para hacer las plantillas y encima del papel de calco se coloca el motivo a transferir.
Solo hay que repasar el motivo para que este se transfiera al cartón.

Realizar plantillas

Colocar el papel transparente sobre el motivo y fijarlo con un poco de cinta de pintor. Calcar el patrón, repasando los contornos con un lápiz, luego retirar el papel transparente y recortar el motivo. También se recomienda utilizar papel de calco para transferir los patrones. Pegar este sobre una cartulina y volver a recortar. Para transferir el motivo sobre la pieza de trabajo solo se necesita colocar la plantilla en el lugar elegido y repasar su contorno con un lápiz de punta fina. Procurar siempre pasar la punta del lápiz muy ceñida al contorno de la plantilla de cartulina.

Método del papel transparente

Situar el papel transparente sobre el patrón y fijarlo con un poco de cinta de pintor. A continuación, repasar todas las líneas con un lápiz afilado. Retirar el papel transparente, darle la vuelta y volver a repasar las líneas por el reverso con un lápiz blando o, si se trata de fondos oscuros, con un lápiz de color claro. Dar de nuevo la vuelta al papel transparente, fijarlo sobre la pieza de trabajo y repasar otra vez las líneas con el lápiz afilado. De este modo, el grafito del lápiz o del lápiz de color se transfiere desde el papel transparente a la pieza de trabajo. Repasar las líneas con un rotulador de punta gruesa para conseguir una mejor visibilidad.

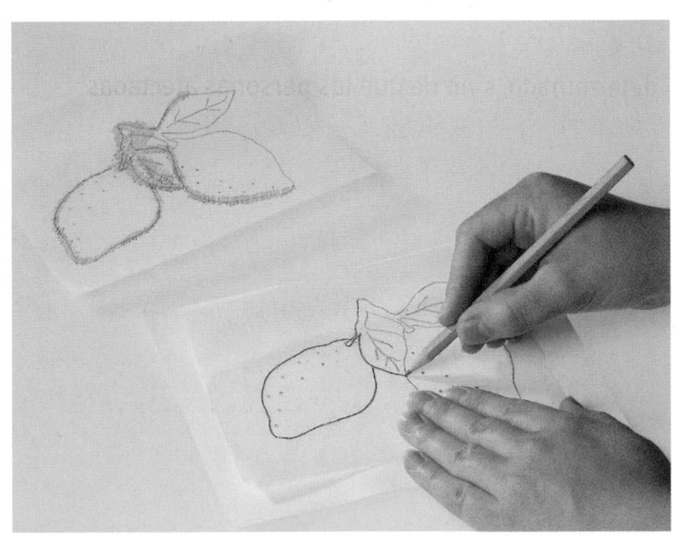

Papel

Para realizar manualidades no existe otro material más versátil, barato y fácil de conseguir que el papel. Cortar, plegar, pegar o decorar con papel. En este capítulo encontrará guirnaldas para las ventanas, formas de plegar servilletas, juegos de cartas de gran tamaño y muchos proyectos más. Así que coja papel, tijeras y pegamento no acuoso (el más indicado es el pegamento de barra). No hay límites para la fantasía.

Una baraja de naipes un poco diferente

TAMAÑO DEL GRUPO
2-4 personas

OCASIÓN
Sociabilidad

TIEMPO REQUERIDO
20 minutos aprox.

TIEMPO DE PREPARACIÓN
5-10 minutos

PRESUPUESTO
5 euros aprox.

MATERIALES POR PERSONA
- Baraja de naipes y fotocopiadora
- Cartulina
- Tijeras
- Pegamento

Instrucciones

Los juegos de naipes, ya sea el chinchón, la escoba o la brisca, divierten a personas de diferentes edades, pero los mayores muchas veces tienen dificultad para sujetar o leer los naipes que se comercializan habitualmente. Esto se puede solucionar, ya que es muy fácil elaborar una baraja con naipes de mayor tamaño a partir de una baraja normal.

1 Ampliar los naipes necesarios con ayuda de una fotocopiadora. El valor de ampliación será de alrededor del 200%, según la necesidad.

2 Pegar con pegamento de barra los naipes ampliados sobre una cartulina con el fin de proporcionarles una base resistente y dejar secar con un peso encima para que queden planos. En caso de utilizar cartulina estampada con dibujos, procurar que los naipes queden todos igual por el reverso.

SUJETAR LOS NAIPES

Si a los participantes les resulta difícil sujetar los naipes, es muy práctico utilizar un "portanaipes". Se puede adquirir por unos 7 euros. Con un poco de tiempo y destreza manual es posible confeccionar uno de forma artesanal. Solo se necesita un listón de madera (de unos 40 cm de largo, dependiendo del tamaño de la baraja). Serrar una entalladura o ranura de 2 cm de profundidad en el listón. Luego lijar todo bien para que la madera no se astille. Por último, insertar los naipes en la entalladura del listón.

Formar palabras

TAMAÑO DEL GRUPO
1-6 personas

OCASIÓN
Sociabilidad

TIEMPO REQUERIDO
20-40 minutos

TIEMPO DE PREPARACIÓN
10 minutos aprox.

PRESUPUESTO
1 euro aprox.

MATERIALES POR PERSONA
- Rotulador de color negro
- Cartulina unicolor
- Tijeras

Instrucciones

¿Qué palabra y qué fotografía van juntas? De eso trata este juego. Las fotografías pueden buscarse previamente entre todos y confeccionar las tarjetas juntos.

1 Escribir una palabra claramente con un rotulador negro y letras de imprenta sobre una cartulina. Recortar las diferentes letras.

2 Mezclar las letras y extenderlas sobre la mesa.

3 A continuación, los participantes pueden intentar formar de nuevo la palabra original.

ACTIVACIÓN

Formar palabras potencia la memoria. Además, a partir de la palabra se puede entablar conversación con los participantes en el juego. Se recomienda contar una pequeña historia o anécdota sobre la palabra formada. También es muy útil para los participantes colocar sobre la mesa una fotografía relacionada con la palabra elegida. Para los participantes avanzados se pueden distribuir a la vez sobre la mesa las letras de varias palabras distintas.

Parejas de imagen y palabra

TAMAÑO DEL GRUPO
1-4 personas

OCASIÓN
Sociabilidad

TIEMPO REQUERIDO
20-40 minutos

TIEMPO DE PREPARACIÓN
10 minutos aprox.

PRESUPUESTO
1 euro aprox., según el material

MATERIALES POR PERSONA
- Rotulador de color negro
- Cartulina unicolor
- Lápiz, regla, tijeras
- Fotografías (por ej., de revistas)
- Pegamento de barra

Instrucciones

Seguro que conoce el juego del Scrabble; pues bien, el siguiente juego de palabras funciona de un modo similar. Pero en este caso no se trata de formar todas las palabras que se pueda, sino solamente una palabra determinada.

1 Recortar un número par de tarjetas de cartulina (de 10 x 10 cm).

2 Dejar que sean los participantes quienes busquen las fotografías. Después, recortar las fotografías y pegarlas en las tarjetas. Escribir sobre otra tarjeta lo que representa una de las fotografías, en una sola palabra bien legible. Repetirlo con el resto de las fotografías.

3 Colocar las tarjetas confeccionadas, del revés, sobre la mesa y mezclarlas. Comenzar con pocas tarjetas e ir aumentando el número en las rondas siguientes.

4 Los jugadores han de buscar las parejas correctas de fotografía y palabra. Cuando alguien ha encontrado una pareja, la coloca delante de sí sobre la mesa. El jugador que consigue más parejas gana el juego.

ACTIVACIÓN

Las manualidades y los juegos posteriores activan los sentidos y potencian la comunicación; además, se disfruta mucho jugando, especialmente en un grupo grande.

En el entrenamiento de la memoria se proponen ejercicios de concentración, juegos de atención y ejercicios para la agilidad mental. Esto se realiza con un entrenamiento a través de juegos, casi siempre dentro de un grupo.

Juego de memoria

TAMAÑO DEL GRUPO
1-4 personas

OCASIÓN
Sociabilidad, entrenamiento de la memoria

TIEMPO REQUERIDO
20-40 minutos

TIEMPO DE PREPARACIÓN
5 minutos aprox.

PRESUPUESTO
3 euros aprox.

PATRONES
Página 136

MATERIALES
- Fotocopiadora y fotografías propias
- Cartulina estampada para manualidades
- Lápiz, regla, tijeras
- Rotulador de color negro
- Pegamento de barra

Instrucciones

¡El juego de memoria también es muy divertido en grupo! Potencia la comunicación entre los participantes al utilizar motivos personales de la vida de cada uno de ellos.

1 Recortar ocho tarjetas de cartulina para manualidades (de 10 x 10 cm) o dibujar las tarjetas con un rotulador negro sobre una cartulina para que los participantes puedan recortarlas.

2 Fotocopiar dos veces las fotografías propias o las fotografías de frutas de la página 136 y recortarlas.

3 Pegar las fotografías sobre las tarjetas preparadas para el juego.

4 Colocar las tarjetas del revés sobre la mesa y mezclarlas bien. Empezar con pocas parejas e ir aumentando el número en las rondas siguientes.

5 Los jugadores han de buscar las parejas correctas. Cuando alguien ha encontrado una pareja, la coloca delante de sí sobre la mesa. El jugador que consigue más parejas gana el juego.

VARIANTE

Este juego de memoria se puede realizar de otro modo. Por ejemplo, colocando un motivo sobre una tarjeta y su letra inicial en otra tarjeta. O elegir motivos que se complementen (como un reloj y un minutero). Así es posible adaptar el grado de dificultad a las capacidades de los participantes.

ACTIVACIÓN

Con este juego de memoria se activan, sobre todo, las capacidades de la memoria y las facultades imaginativas. Es fácil entablar conversación con los participantes sobre la elección de los motivos y mantener así su concentración y entrenar su memoria.

Puzzle con postal

TAMAÑO DEL GRUPO
1-4 personas

OCASIÓN
Sociabilidad

TIEMPO REQUERIDO
20-30 minutos

TIEMPO DE PREPARACIÓN
5 minutos aprox.

PRESUPUESTO
1 euro aprox.

MATERIALES
- Postales antiguas de los participantes
- Fotocopiadora (opcional)
- Tijeras

Instrucciones

Muchas veces, al contemplar postales se despiertan los recuerdos. El puzzle realizado con una postal anima a las personas mayores a deleitarse rememorando sus experiencias.

1 Contemplar juntos las postales que cada uno haya traído y conversar sobre ellas: recuerdos, viejos amigos o encuentros. Una vez que se ha conseguido la confianza del grupo, y siempre de común acuerdo, se pueden leer también los textos de las postales.

2 Dibujar con formas ondulantes, por el reverso de la postal, la división en nueve piezas. Cortar las piezas y distribuirlas mezcladas sobre la mesa. Si alguien no desea que se corte su postal, realizar antes una fotocopia en color de la misma y seguir trabajando con ella.

3 Volver a montar la postal, todos juntos, como si fuera un puzzle.

Nota: antes de la elección del juego, es importante realizar una valoración de las capacidades de los participantes. Elegir el juego solo cuando se esté seguro de que las personas afectadas disponen de suficiente capacidad de concentración y atención para llevar a cabo la actividad.

ACTIVACIÓN

Montar puzzles de viejas postales activa la memoria. Los recuerdos y sentimientos pueden trabajarse bien en esta activación, si usted, como cuidador familiar o como acompañante, está dispuesto a ocuparse de las emociones de los participantes.

PUZZLE GIGANTE

Para las personas mayores con limitaciones especiales por enfermedad (como alzheimer, demencia senil o ataque de apoplejía), las piezas de los puzzles habituales para adultos suelen resultar demasiado pequeñas. Es posible construir un puzzle fácilmente de forma artesanal con una postal, una fotografía grande o una fotografía ampliada. Se debe comenzar con un puzzle gigante de cuatro piezas. Ir aumentando las piezas del puzzle hasta un total de nueve. Una pieza del puzzle gigante ha de tener el tamaño aproximado de una postal. Recortar los cantos rectos para que las personas mayores con alteraciones motrices puedan montar bien las piezas del puzzle. Colocar siempre al lado una fotografía del motivo del puzzle.

Experimento cromático

TAMAÑO DEL GRUPO
1-8 personas

OCASIÓN
En cualquier ocasión

TIEMPO REQUERIDO
30-40 minutos

TIEMPO DE PREPARACIÓN
10 minutos aprox.

PRESUPUESTO
15 euros aprox. (dependiendo del material elegido)

MATERIALES POR PERSONA

- Papel secante o papel para batik, A4
- Cartulina de color blanco, A4
- Acuarelas, pintura para batik o tintes de distintos colores
- Hilo de nailon
- Plancha
- Tijeras
- Pegamento para manualidades

Instrucciones

La técnica siguiente recibe el nombre de técnica del batik plegado sumergido. Es fácil, pero de gran efecto. El papel secante o el papel para batik se puede plegar de diferentes formas y de ellas dependerá cómo absorba el color, creando fantásticas mezclas cromáticas y dibujos siempre nuevos.

1 Cortar el papel secante o el papel para batik en un cuadrado de 18 x 18 cm. Luego plegar el papel una vez formando un rectángulo.

2 A continuación, doblar de nuevo por la mitad el rectángulo obtenido, para formar un cuadrado. Doblar el cuadrado por la diagonal, para lograr un triángulo. Ir doblando el triángulo sobre sí mismo en cuatro partes iguales para conseguir la forma que se aprecia en la fotografía de la página 21.

3 Ahora ya se puede teñir el papel. Para sumergirlo mejor en el tinte, las tiras se pueden sujetar con pinzas de la ropa, que se repartirán previamente a los participantes.

4 Se recomienda no sumergir la tira de papel en muchos colores distintos, ya que en ese caso los colores se mezclan y resulta un tono marrón sucio. Por ejemplo, en el cuadro central se ha sumergido primero el lado en pico de la tira de papel en color amarillo y después el lado romo en color rojo, muy rápidamente.

5 Una vez seco, alise usted con la plancha el cuadrado de papel. Los participantes lo pegarán después sobre un cuadrado de cartulina blanca. Las obras de arte quedan muy bien superpuestas y unidas mediante un hilo de nailon.

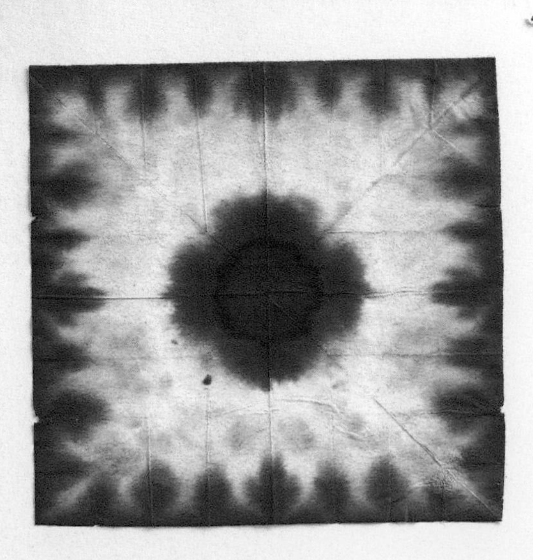

APLICAR REALCES

Para crear nuevos dibujos, los participantes pueden utilizar un pincel y aplicar con él puntos de color sobre la tira de papel aún doblada. Se consigue así un dibujo fantástico.

ACTIVACIÓN

Los participantes se entusiasman con los colores y sus mezclas, así como con la creación de nuevas formas y diseños. Se consiguen nuevos dibujos mediante mínimas variaciones, a partir de una simple mancha de color. Esta manualidad activa la percepción y proporciona disfrute a los participantes.

Juego de salvamanteles

TAMAÑO DEL GRUPO
1-4 personas

OCASIÓN
En cualquier ocasión

TIEMPO REQUERIDO
10-30 minutos

TIEMPO DE PREPARACIÓN
5 minutos aprox.

PRESUPUESTO
5–10 euros

MATERIALES
- Dibujo propio, fotografías de miembros de la familia o de uno mismo, refranes
- Cartulina unicolor para manualidades
- Tijeras y pegamento
- Regla, lápiz y rotuladores de diferentes colores
- Lámina adhesiva de plástico transparente

Instrucciones

Consiga un ambiente totalmente original en la mesa, como por arte de magia. Se pueden crear manteles, salvamanteles o bases de escritorio personalizados para la mesa y realizar con ellos un regalo individual o un objeto creativo para el propio hogar. Al confeccionar un salvamanteles no se trata de hacer una base protectora para las manchas, sino más bien de embellecer la mesa y con ello, el propio comedor. Un método sencillo consiste en utilizar pinturas realizadas por uno mismo o dibujos pintados por los nietos, como en este caso, y dotarlos de estabilidad y resistencia al agua plastificándolas uno mismo o llevándolas a plastificar.

1 Colocar el motivo elegido en el centro de la cartulina para manualidades y fijarlo con pegamento en algunas zonas del borde izquierdo.

2 Extender la lámina adhesiva de plástico transparente sobre el dibujo, alisar bien procurando que no queden burbujas ni pliegues y recortar el plástico sobrante (dejando un borde de 5 mm). El dibujo puede también llevarse a plastificar.

3 Se pueden laminar también otros motivos a juego con los dibujos infantiles. Recortar los motivos con un borde de 1 mm aproximadamente. Fijarlos con un poco de cinta adhesiva de doble cara en el borde del salvamanteles.

REFRANES Y PENSAMIENTOS

Se puede elaborar un salvamanteles como este de una forma muy diferente. Imprimir con el ordenador algún refrán o un pensamiento propio y después plastificarlo. Las fotografías plastificadas también quedan bonitas.

Tarjetas de mesa para la Pascua

TAMAÑO DEL GRUPO
1-6 personas

OCASIÓN
Pascua

TIEMPO REQUERIDO
20-40 minutos

TIEMPO DE PREPARACIÓN
10 minutos aprox.

PRESUPUESTO
5-10 euros

PATRONES
Página 128

MATERIALES (PARA UNA GALLINA)
- Cartulina de color amarillo o verde claro, A4
- Cartulina de color naranja, restos
- Rotuladores de color naranja y negro
- Tijeras, cúter y pegamento
- Lápiz, papel transparente o papel de calco y cartón (para plantillas)

Instrucciones

Estas tarjetas con forma de gallina le dan un toque festivo a la mesa de Pascua. Las gallinas de cartulina quedan muy simpáticas si su interior se adorna con un huevo de Pascua.

1 Realizar plantillas de las piezas del motivo recortando el ala en la plantilla del cuerpo de la gallina (ver página 128).

2 Para el cuerpo de la gallina, recortar un rectángulo de cartulina de 26 x 13 cm; marcar una ligera incisión en el centro y plegar por ella para obtener una tarjeta doble de 13 x 13 cm. Colocar la plantilla del cuerpo de la gallina de modo que la línea discontinua de la base quede en la línea de pliegue de la tarjeta doble. Marcar los contornos siguiendo la línea continua y recortar. Recortar las alas hasta la línea de rayas discontinuas con un cúter. Marcar la línea discontinua con una ligera incisión y plegar las alas hacia atrás.

3 Desplegar el cuerpo de la gallina. Marcar una ligera incisión a ambos lados de la línea de pliegue (línea de rayas discontinuas), a una distancia de 2 cm, para hacer otra línea de pliegue (línea de puntos y rayas) y plegar. Con cartulina de otro color, recortar la cresta y la barbilla. Pegar la cresta entre las dos piezas de la cabeza. Añadir las barbillas y pintar los ojos. Para terminar, pegar el letrero con el nombre y/o el ribete decorativo, según se prefiera.

PARTICIPACIÓN

Las tarjetas de mesa con nombres y una forma adaptada a las diferentes estaciones del año ayudan especialmente a las personas mayores con marcadas limitaciones cognitivas, pues les permiten participar de un día festivo organizando la celebración y encontrando por sí mismos su asiento en la mesa.

Decoración floral para la ventana

TAMAÑO DEL GRUPO
1-4 personas

OCASIÓN
Primavera / Verano

TIEMPO REQUERIDO
20-30 minutos

TIEMPO DE PREPARACIÓN
15 minutos aprox.

PRESUPUESTO
5 euros aprox.

PATRONES
Página 129

MATERIALES POR PERSONA
- Cartulina de diferentes colores, restos
- Hilo de algodón
- Lápiz, papel transparente o papel de calco y cartón (para una plantilla)
- Pegamento y tijeras

Instrucciones

Muchas personas mayores se acordarán de haber realizado alguna vez adornos de papel para las ventanas. Es importante que la forma del adorno elegido sea muy sencilla, como es el caso de estas flores.

1 Realizar una plantilla de la flor y de las hojas para cada participante (ver página 129). Si alguno de ellos desea realizar su propia plantilla, puede hacerlo también. Si quiere un tulipán de mayor tamaño, se puede ampliar el patrón con una fotocopiadora a las dimensiones que se prefiera.

2 Cortar las diferentes piezas en doble. Dejar que los propios participantes elijan el color de la cartulina.

3 Por último, colocar el hilo de algodón entre las piezas y pegar la flor sobre la flor y las hojas sobre las hojas.

GUIRNALDA DE FLORES

Otra posibilidad es pegar las flores, una sobre otra, en el mismo hilo de algodón. Así se obtiene una guirnalda multicolor que puede colgarse como decoración en la casa.

ACTIVACIÓN

Este trabajo es relativamente fácil. Refuerza la autoestima de los participantes, estimula su motricidad fina o de precisión y hace que disfruten. Elogie a menudo a las personas mayores y pregúnteles si se han divertido con esta manualidad.

Gaviotas blancas de cartulina

TAMAÑO DEL GRUPO
1-5 personas

OCASIÓN
Verano

TIEMPO REQUERIDO
30 minutos aprox.

TIEMPO DE PREPARACIÓN
15 minutos aprox.

PRESUPUESTO
10 euros aprox.

PATRONES
Páginas 126-127

MATERIALES (PARA UNA GAVIOTA)
- Cartulina de color blanco, A3
- Cartulina (restos) de color amarillo o rotulador amarillo
- Cartulina de color gris, A4
- 2 ojos móviles o rotulador de color negro
- Hilo y aguja de coser
- Lápiz, papel transparente o papel de calco y cartón (para plantillas)
- Tijeras y pegamento

Instrucciones

Estas gaviotas de papel crean un ambiente marítimo y veraniego. Las formas sencillas y los materiales fáciles de conseguir animan a ser creativo y no frustrarse en el intento.

1 Transferir los patrones de las páginas 126-127 sobre la cartulina o realizar plantillas para los participantes (ver las instrucciones básicas de la página 9).

2 Recortar las cuatro piezas de las alas. Fijar las piezas grises de las alas sobre las piezas blancas de las mismas. Poner atención en pegar un ala invertida lateralmente, como si se tratase de una imagen especular.

3 A continuación, pegar el pico de cartulina amarilla o pintarlo con un rotulador de dicho color.

4 Recortar el cuerpo de la gaviota. Con una aguja de coser, perforar un pequeño agujero en el cuerpo de la gaviota y fijar un trozo de hilo para colgar después el ave.

5 Colocar las alas en el cuerpo. Pegar unos ojos móviles o pintarlos con un rotulador negro. Las gaviotas ya están listas para volar.

CREAR AMBIENTE

La decoración del hogar va estrechamente unida a la vida diaria. Los espacios decorados con encanto irradian calor y cordialidad. Hable con sus familiares, amigos o clientes sobre lo que les gusta de su vivienda o si preferirían cambiar algo. Muchas veces son las pequeñas cosas las que marcan una gran diferencia.

En la terapia del medio (o entorno), se señala la importancia de realizar actividades terapéuticas en el propio domicilio. Se trata de crear unos hábitos cotidianos de forma consciente y aumentar así la calidad de vida de personas con limitaciones cognitivas. Esto se encuentra en la base del trabajo con la biografía.

Bolas con rosas con la técnica del découpage

TAMAÑO DEL GRUPO
1-4 personas

OCASIÓN
Verano

TIEMPO REQUERIDO
30-60 minutos

TIEMPO DE PREPARACIÓN
15 minutos aprox.

PRESUPUESTO
10-15 euros

MATERIALES POR PERSONA
- Papel para découpage con rosas, A4
- Pegamento y barniz para découpage
- Bolas de porexpán, de 12 y 15 cm Ø
- Cintas de chiffon de distintos colores y anchos
- Palo redondo de madera, de 7 mm Ø y 50 cm de largo aprox.
- Pintura acrílica de color blanco, rojo y rosa (según necesidad)
- Pincel blando, vaso de agua y tijeras
- Piedras de cristal y cuentas

Instrucciones

Con la técnica del découpage se pueden aplicar fácilmente pequeños motivos de papel sobre otras bases, como en este caso sobre las bolas de porexpán. El pegamento se extiende con un pincel por debajo y por encima del papel, de modo que los restos y las manchas de pegamento no tienen ninguna importancia. Se trata de una técnica sencilla y con la que se logra un efecto maravilloso.

1 Aplicar pintura acrílica blanca sobre toda la superficie de la bola de porexpán. Si se quiere, pintar también el palo redondo de madera con pintura acrílica (en este caso: rosa y rojo).

2 Recortar las rosas y humedecer el reverso con un poco de agua fría. Reservar estas rosas.

3 Aplicar un poco de pegamento, con un pincel blando, sobre la bola. Después, colocar encima las rosas reservadas y alisarlas con el pincel (no importa si este conserva aún restos de pegamento).

4 Una vez que todo se haya secado bien, extender el barniz. Así el motivo produce el efecto de la porcelana y queda protegido.

5 Insertar el palo redondo de madera dentro de la bola, utilizar un poco de pegamento para fijarlo.

6 Anudar un lazo con la cinta de chiffon más ancha y atarlo con las cintas más estrechas. Después atar estas en el palo, por debajo de la bola, para fijar así el lazo. Adornar las bolas de rosas con piedras de cristal o cuentas, enfilándolas en el extremo de las cintas de chiffon más estrechas.

FLEXIBLE Y PERSONAL

Se pueden decorar con pequeños motivos de papel los objetos más variados: cajas, letreros, jarrones y más cosas. Lo bonito de esta técnica es que los participantes la pueden realizar de forma libre. Según el motivo elegido, el resultado revelará después algo sobre su creador. Mantenga una conversación sobre ello.

Servilleta con forma de flor de loto

TAMAÑO DEL GRUPO
1-4 personas

OCASIÓN
Días festivos

TIEMPO REQUERIDO
10-20 minutos

TIEMPO DE PREPARACIÓN
5 minutos aprox.

PRESUPUESTO
5 euros aprox.

MATERIALES POR PERSONA
- 1 servilleta (de tela, entretela o papel) de color rosa, de 40 x 40 cm
- Cinta adhesiva de doble cara
- 1 dalia de color rosa

Instrucciones

Entre las preparaciones de un día festivo se incluye una mesa con una decoración bonita. Aunque cualquier día normal la mesa también puede ganar en colorido con algún detalle especial, como esta servilleta plegada en forma de flor de loto.

1

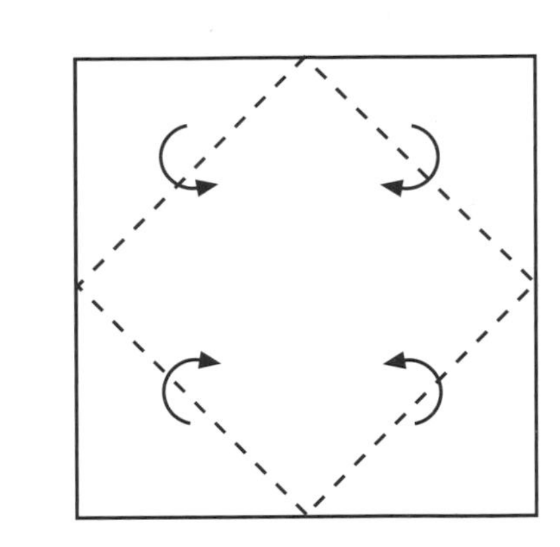

1 Colocar la servilleta en forma de cuadrado sobre la mesa y plegar las cuatro esquinas hacia el centro (Diagrama 1). Las esquinas tienen que coincidir exactamente en el centro.

2

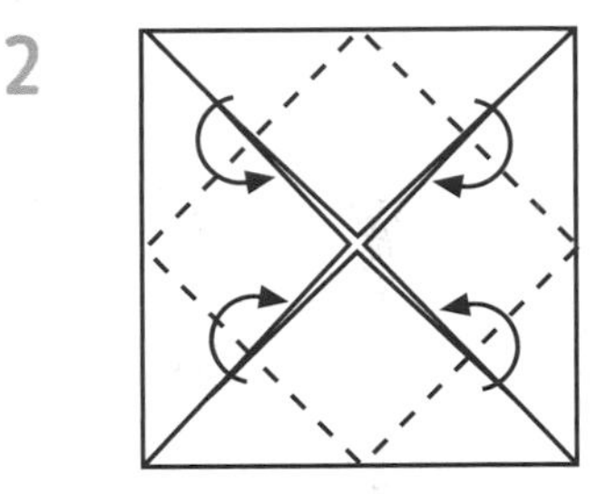

2 Repetir el proceso por el mismo lado (Diagrama 2).

3 Dar la vuelta a la servilleta y volver a plegar las cuatro esquinas hacia el centro (Diagrama 3).

3

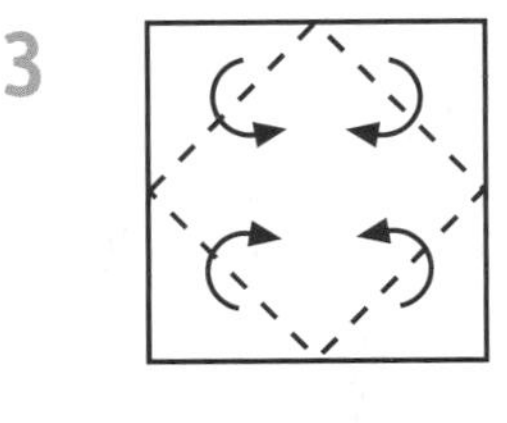

4 Con cuidado, sacar hacia fuera los picos que quedan debajo de las esquinas (Diagrama 4), sujetando a la vez el centro con los dedos. Por último, colocar la dalia sobre la servilleta plegada.

4

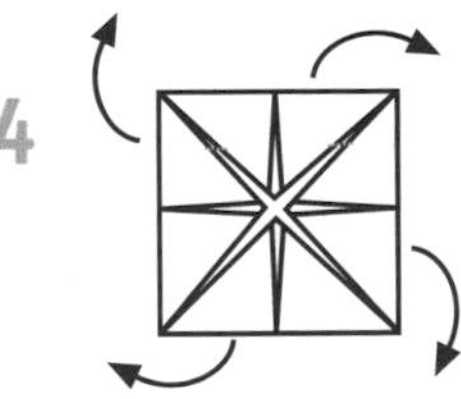

ACTIVACIÓN

Muchas personas relacionan el plegado de servilletas con las preparaciones de un día especial o de una fiesta. Seguro que surgirá fácilmente una conversación en torno a ello. Pregunte a los participantes, por ejemplo:

– ¿Cuándo se viste de fiesta la mesa?
– ¿Cuándo decoró una mesa por última vez?

Portavelas con flores

TAMAÑO DEL GRUPO
1-4 personas

OCASIÓN
Primavera / Verano

TIEMPO REQUERIDO
30-40 minutos

TIEMPO DE PREPARACIÓN
15 minutos aprox.

PRESUPUESTO
5 euros aprox.

PATRONES
Página 137

MATERIALES (PARA UN TULIPÁN)

- Cartón ondulado de color rojo, A5
- Vela
- Lápiz, papel transparente o papel de calco y cartulina (para una plantilla)
- Tijeras y pegamento

MATERIALES (PARA UN NARCISO)

- Cartulina de color amarillo, A4
- Tira de cartón ondulado de color naranja, de 14 x 2 cm
- Vela
- Lápiz, papel transparente o papel de calco y cartulina (para una plantilla)
- Tijeras y pegamento

Instrucciones

Estos portavelas con flores son rápidos y fáciles de realizar, ideales para fiestas de verano o celebraciones de cumpleaños.

Tulipán

1 Realizar una plantilla de la flor para cada participante. Para transferir la plantilla al cartón ondulado, situar este con el lado liso hacia arriba; colocar la plantilla encima y repasar el contorno con un lápiz o un rotulador de punta fina. Recortar el tulipán.

2 Colocar una vela en el centro del tulipán y marcar el contorno con el lápiz (de nuevo por el lado liso del cartón ondulado). Recortar el círculo obtenido e insertar la vela en su interior.

Narciso

1 Realizar una plantilla de la flor para cada participante. Transferir la plantilla sobre cartulina y recortar.

2 Pegar la tira de cartón ondulado alrededor de la vela y después pegar todo sobre la flor estrellada del motivo.

SERVILLETERO
Con el tulipán se puede hacer un portavelas o un servilletero.

Frutas de papel maché

TAMAÑO DEL GRUPO
1-4 personas

OCASIÓN
En cualquier ocasión

TIEMPO REQUERIDO
30-60 minutos

TIEMPO DE PREPARACIÓN
15 minutos aprox.

PRESUPUESTO
10 euros aprox.

MATERIALES POR PERSONA

- Fruta (manzana, pera, limón o plátano)
- Papel de periódico, papel higiénico y engrudo de empapelar
- Film para conservar alimentos
- Cuchillo o cúter
- Cartulina, restos
- Pintura acrílica de diferentes colores
- Cinta de pintor
- Arroz, piedrecitas, arena o cascabeles
- Pincel y tijeras

Instrucciones

La técnica del papel maché también se llama técnica de capas. Se forra una forma básica con sucesivas capas de trozos de papel de periódico y se van uniendo con engrudo de empapelar. La técnica del papel maché es fácil y económica.

1 Partir papel de periódico en pequeños trozos, de unos 4 x 4 cm. Envolver las frutas con film para conservar alimentos.

2 Aplicar engrudo de empapelar sobre las frutas forradas con film y colocar encima los primeros trozos de papel de periódico. Los trozos de papel pueden solaparse. Colocar de este modo de seis a siete capas de papel de periódico. Aplicar engrudo después de cada capa de papel.

3 Dejar secar las frutas forradas con papel maché alrededor de 24 horas.

4 Cortar por la mitad el envoltorio de papel maché con un cuchillo o un cúter y extraer la fruta. Rellenar las piezas de papel con arroz, piedrecitas, arena o cascabeles, volver a unirlas y fijarlas con un poco de cinta de pintor.

5 Recortar en cartulina la forma de una hoja. Fijar esta a la fruta de papel maché con un poco de cinta de pintor y revestirla con papel. Para modelar el tallo de la fruta, enrollar papel higiénico y revestirlo con un par de capas de papel de periódico troceado.

6 Cubrir toda la fruta con una capa de pintura acrílica blanca, dejar secar y pintar después del color que se desee.

MOTRICIDAD GRUESA Y FINA

Con esta actividad se estimula el conjunto de acciones de la musculatura, es decir, del movimiento.

La **motricidad gruesa** describe las funciones del movimiento del cuerpo que sirven para realizar movimientos completos, como por ejemplo, correr y saltar.

La **motricidad fina** describe el desarrollo del movimiento de la coordinación entre mano y dedos, pero también la motricidad de pies, dedos del pie y rostro.

REALIZAR UN FRUTERO DE PAPEL MACHÉ

El frutero se ha trabajado con la misma técnica que las frutas. En este caso, envolver una fuente de plástico con film para conservar alimentos y aplicar encima capas sucesivas de papel de periódico troceado y engrudo. Por último, pintar de colores.

Mariposas estampadas

TAMAÑO DEL GRUPO
1-8 personas

OCASIÓN
Verano

TIEMPO REQUERIDO
20-30 minutos

TIEMPO DE PREPARACIÓN
10 minutos aprox.

PRESUPUESTO
10-15 euros

MATERIALES POR PERSONA
- Tarjetas dobles del color preferido, A6
- Cartulina de color blanco, restos
- Sello de estampar mariposas con filigrana: de 5 x 7 cm y de 1,5 x 1,5 cm aprox.
- Almohadillas de tinta de diferentes colores
- Rotuladores de diferentes colores
- Almohadillas adhesivas
- Tijeras y pegamento de barra

Instrucciones

Con sellos y tintas de estampar se realizan manualidades creativas con mucho colorido. Trabajar con sellos de estampar es genial, porque resulta fácil y rápido.

SELLO VERSÁTIL
Además de tarjetas, se pueden realizar muchos otros objetos con sellos de estampar. La lata verde, por ejemplo, está forrada con cartulina pegada y adornada con mariposas y lazos de cinta. Puede servir como regalo si se rellena con algún pequeño detalle o se incluye un mensaje bonito.

1 Estampar varias veces el sello de la mariposa pequeña sobre la tarjeta doble. Si se desea, se pueden estampar también otros motivos, como se muestra en la tarjeta azul.

2 Estampar la mariposa grande con filigrana con tinta marrón sobre la cartulina. Colorear los espacios interiores con rotuladores o lápices de color, como cada uno prefiera.

3 Recortar el motivo por las líneas del contorno y pegarlo sobre la tarjeta doble como se ve en la fotografía, utilizando almohadillas adhesivas o pegamento.

Viel Glück
Alles Gute

Estrellas y abetos

TAMAÑO DEL GRUPO
1-4 personas

OCASIÓN
Navidades

TIEMPO REQUERIDO
20-30 minutos

TIEMPO DE PREPARACIÓN
10 minutos aprox.

PRESUPUESTO
5 euros aprox.

PATRONES
Página 128

MATERIALES POR PERSONA
- Cartulina de color naranja, amarillo, verde, rojo y burdeos, restos
- Alambre para floristería, de 90 cm de largo
- Cinta a cuadros, de 5 mm de ancho (varios trozos de 50 cm de largo cada uno)
- Hilo de algodón de color verde, 1 m
- Tijeras y sacabocados
- Lápiz redondo, papel transparente o papel de calco y cartón (para plantillas)

Instrucciones

Las navidades son la época del año más apropiada para hacer manualidades. Incluso aquellos a quienes no les gusta este periodo del año, son incapaces de reprimir una sonrisa ante las galletas, el olor a canela y los pequeños adornos con encanto.

REALIZAR TARJETAS DE NAVIDAD

Estos motivos quedan muy bien para adornar tarjetas de Navidad o colgantes de regalos. Los patrones se pueden ampliar en la fotocopiadora para adaptarlos a las capacidades de los participantes.

1 Realizar plantillas para cada participante.

2 Recortar una vez la campana, el abeto y la estrella de cartulina. Perforar agujeros en todas las piezas con un sacabocados. Perforar un agujero solo en el borde superior de los motivos que cuelgan al final de la guirnalda.

3 Cortar el alambre en trozos de 15 cm y enrollarlos en espiral alrededor de un lápiz redondo. Después extraer el lápiz.

4 Unir todas las piezas con los trozos de alambre. Dividir las cintas en trozos de 25 cm de largo y anudar lazos en las guirnaldas. Colgar estas con hilos de algodón verde de diferentes longitudes.

Tarjetas con estrellas y abetos

TAMAÑO DEL GRUPO
1-4 personas

OCASIÓN
Navidades

TIEMPO REQUERIDO
20-40 minutos

TIEMPO DE PREPARACIÓN
10 minutos aprox.

PRESUPUESTO
5 euros aprox.

PATRONES
Página 130

MATERIALES (PARA UNA TARJETA)

- Cartulina de color blanco y rojo o verde oscuro, A5 (para cada color)
- Cordón decorativo de color rojo o verde oscuro, de 2 mm Ø y 30 cm de largo
- Sacabocados y tijeras
- Lápiz, papel transparente o papel de calco y cartón (para una plantilla)
- Pegamento

Instrucciones

Las felicitaciones de Navidad se reciben y se envían con agrado y siempre dan una alegría a los seres queridos.

Tarjetas

1 Realizar una plantilla para cada participante (ver página 130).

2 Doblar por la mitad la cartulina blanca para obtener una tarjeta doble.

3 Transferir el motivo de la estrella sobre una cartulina roja o verde. Recortar el motivo y pegarlo en un lado de la tarjeta; pegar en el otro lado el marco del motivo elegido.

4 Para el motivo de estrellas con abeto: recortarlo tres veces en cartulina de color blanco y otras tres en cartulina de color verde. Pegarlos como muestra la fotografía.

Colgantes (fotografía en la página 42)

1 Realizar una plantilla para cada participante.

2 Recortar un rectángulo de cartulina blanca de 9 x 5,5 cm y plegarlo por la mitad en forma de tarjeta doble.

3 Recortar un cuadrado de cartulina roja o verde de 4,5 x 4,5 cm y pegarlo sobre la tarjeta doble. Recortar una estrella o un abeto blancos y pegarlos sobre el cuadrado de cartulina.

4 Perforar cada colgante con el sacabocados y enfilar los cordones por el agujero realizado. Anudar entre sí los extremos del cordón.

Guirnaldas con estrellas y ángeles

TAMAÑO DEL GRUPO
1-4 personas

OCASIÓN
Navidades

TIEMPO REQUERIDO
20-30 minutos

TIEMPO DE PREPARACIÓN
5 minutos aprox.

PRESUPUESTO
2 euros aprox.

PATRONES
Página 133

MATERIALES POR PERSONA

- Papel de aluminio rígido con estrellas de color dorado, plateado y rojo, de 30 x 6 cm (ángel) y de 32 x 5 cm (estrella)
- Escuadra
- Grapadora
- Tijeras o cúter con soporte para cortar
- Lápiz, papel transparente o papel de calco y cartón (para plantillas)

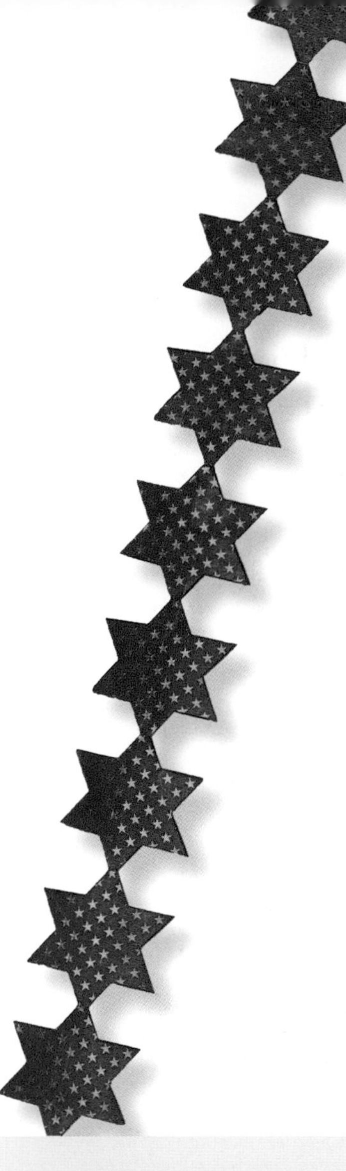

Instrucciones

Plegar, cortar, colgar: así de fácil se elaboran estos adornos típicos de Navidad. Ayude a los participantes a doblar y medir las tiras de papel de aluminio.

1 Realizar una plantilla de cartón del ángel o de la estrella.

2 Para el ángel, recortar una tira de papel de aluminio rígido de 6 cm de ancho y 30 cm de largo. Trazar en la tira líneas verticales a una distancia de 5 cm, con una escuadra y un lápiz. Doblar la tira de papel en zigzag a lo largo de esas líneas. Para la guirnalda de estrellas, doblar una tira de 32 x 5 cm, con distancias de 4 cm entre cada doblez.

3 Colocar la plantilla del ángel de modo que las manos de este se sitúen en las líneas de pliegue; en el caso de la estrella, los picos romos tienen que quedar en las líneas de pliegue. Repasar el contorno con el lápiz. Fijar con la grapadora dos zonas que más adelante se recortan. Así se impide que el motivo se deslice al recortarlo.

4 Recortar el motivo con las tijeras, o preferiblemente con el cúter y sobre un soporte para cortar. Desplegar la guirnalda terminada.

ADAPTAR EL MOTIVO INDIVIDUALMENTE

Usted es quien mejor puede valorar las capacidades de los participantes. Decida qué tamaño debe tener el motivo para que a las personas mayores les resulte fácil cortarlo. Los patrones se pueden ampliar con una fotocopiadora.

Labores

Tejer, hacer ganchillo, bordar y coser: muchas personas mayores dominan estas técnicas como si fuera un juego de niños. Para ellas se incluyen pequeños proyectos en este capítulo. A las personas que no sepan tejer ni hacer ganchillo, empiece por enseñarles a tejer pequeñas cestas y bases blandas para los asientos, o pruebe a que aprendan a tejer con los dedos. Se pueden confeccionar accesorios para el hogar y bonitos adornos para regalar o para conservar uno mismo.

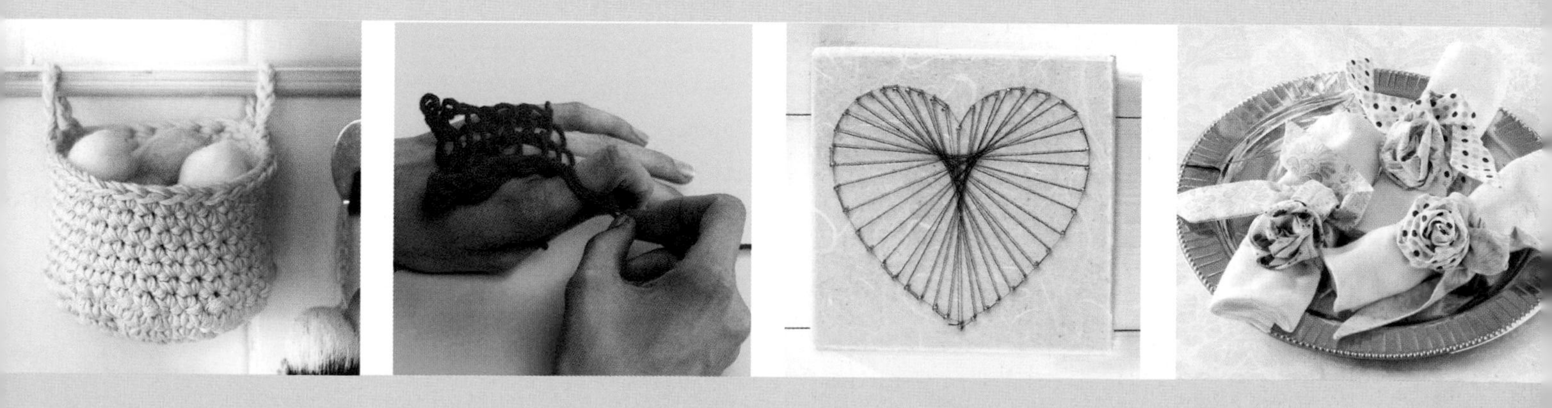

Tejer con los dedos

TAMAÑO DEL GRUPO
1 persona

OCASIÓN
En cualquier ocasión

TIEMPO REQUERIDO
15 minutos (según la longitud de la bufanda)

TIEMPO DE PREPARACIÓN
5 minutos aprox.

PRESUPUESTO
3 euros aprox.

MATERIALES
- Lana
- Tijeras

Instrucciones

Esta variante de las labores de punto les encantará a aquellas personas a quienes les asusta tejer y a las que tengan limitaciones en la motricidad fina.

1 Coger el primer punto y colocarlo en el pulgar de la mano izquierda. Dejar colgando el extremo corto del hilo restante sobre la cara interna de la mano. Montar el resto de la hilera de puntos alrededor de los dedos con el hilo del ovillo de lana, tal como se muestra (ver la fotografía 1).

2 Proceder al contrario con la hilera de puntos del reverso, es decir, serpentear el hilo alrededor de los dedos en sentido contrario, de modo que el hilo envuelva ahora el lado aún "desnudo" de los dedos: cada dedo queda así rodeado de hilo por ambos lados. Al final de esta hilera, enrollar el hilo desde atrás hacia delante alrededor del dedo índice y colocarlo a la derecha de la hilera terminada, o dejar que cuelgue hacia abajo (ver la fotografía 2).

3 Levantar, uno a uno, los puntos que hemos montado en los dedos: partir desde la cara interior de la mano y pasar el punto correspondiente sobre el hilo suelto que cuelga y después por la punta del dedo, hasta que el punto quede en el dorso de la mano. Comenzar por el dedo índice (ver la fotografía 3).

4 Colocar el hilo flojo de la madeja a la derecha del punto, esta vez desde abajo hacia arriba (el hilo no debe pasarse serpenteando alrededor de los dedos); empezar a levantar los puntos partiendo del dedo meñique.

5 Cuando se ha llegado arriba, colocar el hilo del ovillo desde arriba hacia abajo y empezar a levantar los puntos por arriba. Repetir este proceso las veces que se quiera. Una vez alcanzada la longitud deseada, asegurar con un nudo el principio y el final del hilo en la bufanda tejida. El "reverso" de la bufanda ofrece una bonita impresión de puntos amplios tejidos del derecho (ver la fotografía 4).

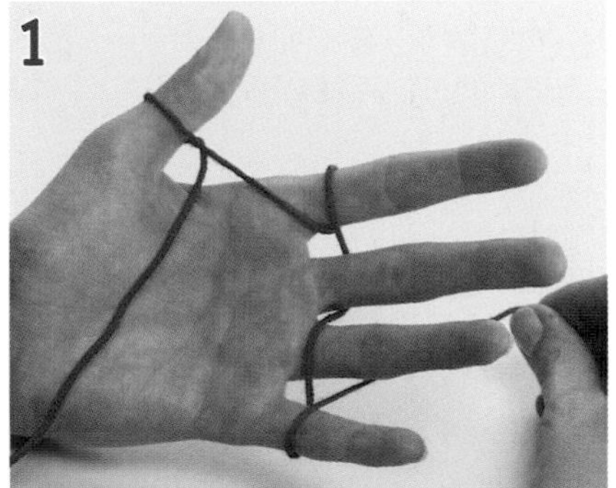
1

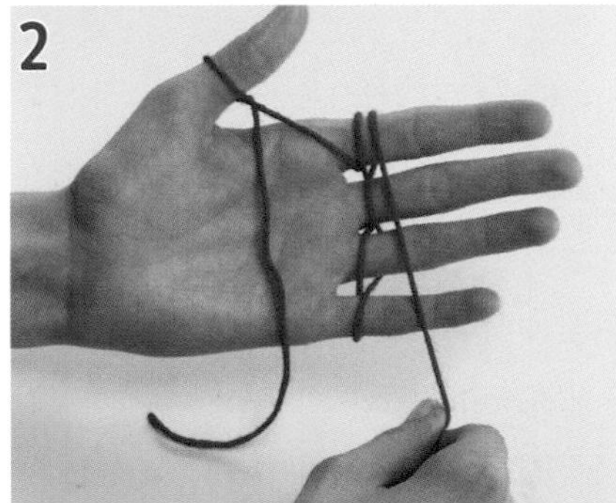
2

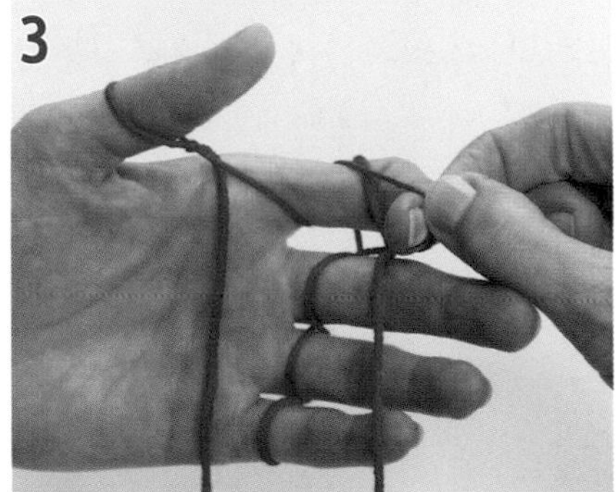
3

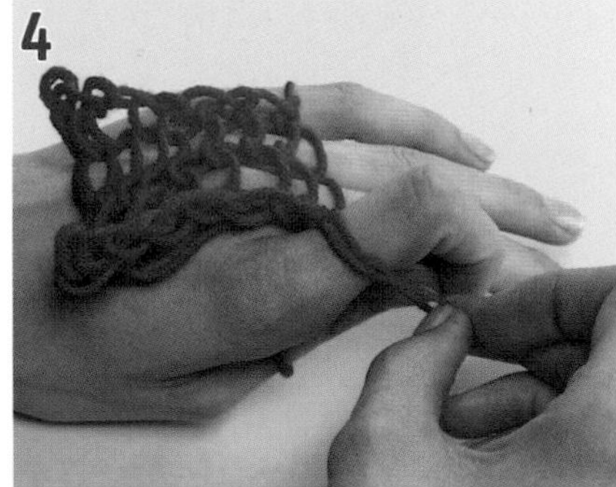
4

Una ayuda útil en la cocina

TAMAÑO DEL GRUPO
1 persona

OCASIÓN
En cualquier ocasión

Nota: se puede utilizar trapillo (tiras de tejido de punto de algodón, que se venden en bobinas) en lugar de camisetas de algodón.

TIEMPO REQUERIDO
30-60 minutos

TIEMPO DE PREPARACIÓN
30 minutos aprox.

PRESUPUESTO
10 euros aprox.

MATERIALES
- Una camiseta de algodón fino de color amarillo y otra con rayas multicolores, talla XL, o una tela de punto de color amarillo y otra con rayas multicolores, 30 cm de cada pieza
- 2 tiras de tela de color lila, de 2,5 cm de ancho y 1,20 m de largo
- Seda de coser de color amarillo y blanco
- Bastidor con varillas para telar
- Aguja de madera para telar, aguja para lana y aguja de coser

Instrucciones

Muchas personas mayores aprendieron durante su infancia el antiguo arte del telar artesanal y seguramente estarán encantadas de volver a recuperar esa técnica.

1 Cortar las dos camisetas o la tela de punto de distintos colores en tiras uniformes (de unos 2,5 cm de ancho cada una). Para encordar el bastidor se necesitan nueve tiras de tela amarilla y seis tiras de tela a rayas, de 45 cm de largo cada una. Para tejer se precisan seis tiras de tela de unos 30 cm de largo.

2 Coser las tiras de tela para encordar el bastidor uniéndolas por los extremos, revés con revés (alternar los colores, pero unir siempre tres tiras del mismo color seguidas). Después, encordar con ellas el bastidor (ver la fotografía 1).

3 Empezar a tejer. Dejar colgando el hilo de trama unos 15 cm (para colgar después el agarrador que estamos tejiendo) y tejer siempre sobre dos hilos de urdimbre (o hilos de soporte) juntos, primero por arriba y después por abajo. Al dar la vuelta, tejer solamente sobre un hilo de urdimbre.

4 Cambiar de color después de tejer ocho filas. Para ello, coser una nueva tira de tela, revés con revés, en la ya existente. Tras cambiar de color seis veces, el agarrador ya está terminado.

5 Desprender el agarrador del bastidor. Como la tela de punto suele encoger, el agarrador quedará un poco más pequeño al desprenderlo del bastidor. Por ello es recomendable estirarlo un poco para darle forma. Luego coser en el borde del agarrador un extremo del hilo de trama (la tira de tela) que se dejó colgando y formar una lazada con el otro extremo para poderlo colgar.

6 Por último, coser otra tira de tela alrededor de todo el contorno del agarrador, por ejemplo, de color lila (ver la fotografía 2).

PROGRAMAR PAUSAS
Así evitará que los participantes realicen demasiado esfuerzo; no debe presionarlos innecesariamente.

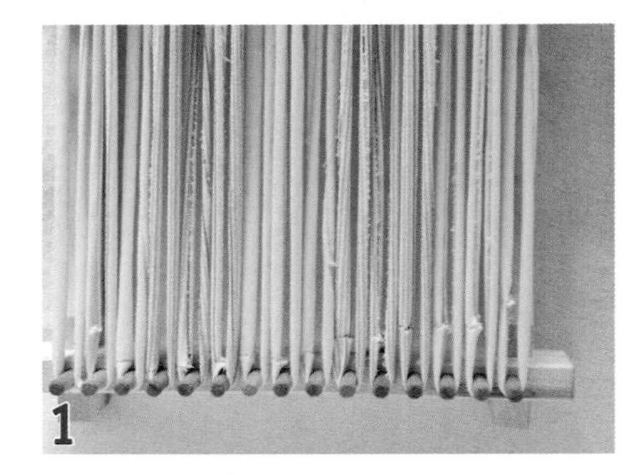

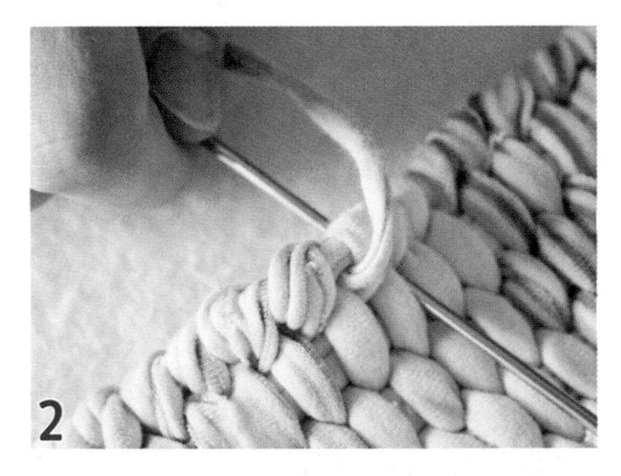

UTILIZAR ALGODÓN
Se recomienda utilizar siempre camisetas de algodón. Las telas sintéticas o con estampados no sirven para un agarrador porque pueden derretirse al entrar en contacto con las cazuelas calientes.

Neceser de punto

TAMAÑO DEL GRUPO
1 persona

OCASIÓN
En cualquier ocasión

TIEMPO REQUERIDO
90 minutos aprox.

TIEMPO DE PREPARACIÓN
10 minutos aprox.

PRESUPUESTO
10 euros aprox.

MATERIALES
- Lana (70% poliacrílico, 30% lana de vellón), 50 g (55 m/kg aprox.)
- Aguja para tejer en redondo de 6-7 mm
- Botón
- Tijeras

Instrucciones

Para todos aquellos que tienen ganas de cosas nuevas, este sencillo bolsito es el desafío perfecto. Pero atención: no se debe estresar a los participantes y se recomienda tejer solo con personas mayores que ya dominen esta técnica.

1 Montar 10 puntos y tejer 4 vueltas con punto de musgo (es decir, todas las vueltas se tejen con punto del derecho, tanto en el frente como en el reverso de la labor). A la mitad de la siguiente vuelta del lado del reverso, volver la labor y continuar trabajando solo sobre estos 5 puntos. En cada vuelta del frente de la labor, aumentar un punto cruzado junto al punto de orillo (punto del borde) con el hilo transversal; repetir 9 veces. Tejer 1 vuelta más en el reverso de la labor sobre los 14 puntos de la pieza izquierda de la solapa, luego separar el hilo y tejer la pieza derecha de la solapa en sentido contrario.

2 Unir juntos en una aguja los puntos de la pieza derecha e izquierda de la solapa (28 puntos), por el frente de la labor, y continuar tejiendo el cuerpo del bolso con punto liso del derecho. Para ello, tejer con punto de musgo los primeros y los últimos 3 puntos de cada vuelta.

3 A una altura de 21 cm a partir del inicio del cuerpo del bolso tejido con punto liso del derecho, tejer 5 vueltas más con punto de musgo y rematar todos los puntos de forma holgada.

4 Para terminar el bolso, pasar un hilo a través de los puntos de orillo (del borde) del cuerpo del bolso. Tirar del hilo hasta que los puntos del borde se frunzan formando las piezas circulares laterales. Coser bien los hilos. Cerrar por arriba la pieza derecha e izquierda de la solapa del bolso, dejando una abertura lo suficientemente grande para el botón elegido. Coser el botón en el lugar correspondiente y rematar todos los hilos de la labor.

¿CÓMO SE HACÍA?

Punto liso del derecho:
tejer la vuelta del frente con punto del derecho y la vuelta del reverso con punto del revés.

Punto de musgo:
tejer todas las vueltas, tanto del frente como del reverso, con punto del derecho.

PRUEBA DE PUNTO TEJIDO

Tejer punto liso del derecho con una aguja de 6-7 mm: 13 puntos y 18 vueltas = 10 x 10 cm.

Cestitas de ganchillo

TAMAÑO DEL GRUPO
1 persona

OCASIÓN
En cualquier ocasión

TIEMPO REQUERIDO
60 minutos aprox.

TIEMPO DE PREPARACIÓN
10 minutos aprox.

PRESUPUESTO
10 euros aprox.

MATERIALES (PARA UNA CESTITA)

- Ganchillo de 7 mm
- Hilo de algodón, grosor: 4,50 g
- Tijeras

Instrucciones

Prácticas y rápidas de realizar: estas pequeñas cestas de ganchillo ayudan a mantener en orden el hogar. Atención: no se debe estresar a los participantes, por lo que se recomienda tejer labores de ganchillo solo con personas mayores que ya dominen esta técnica.

Dibujo básico

Tejer a ganchillo con punto bajo e hilo doble, en redondo. Comenzar cada vuelta de la labor con 12 puntos de cadeneta y terminar con 1 punto enano.

Cestita verde claro

Base

Tejer 4 puntos de cadeneta y cerrarlos con un punto enano formando un anillo.

1.ª vuelta: tejer 2 puntos de cadeneta y 8 puntos bajos en el anillo.

2.ª-3.ª vueltas: * tejer 1 punto bajo, tejer 2 puntos bajos en un punto, repetir sucesivamente a partir del *.

4.ª-5.ª vueltas: * tejer 2 puntos bajos, tejer 3 puntos bajos en cada 3.er punto y repetir sucesivamente a partir del *.

Cuerpo de la cestita

6.ª vuelta: * tejer 1 punto bajo, saltar 1 punto, tejer 1 punto bajo y repetir sucesivamente a partir del *.

7.ª-17.ª vueltas: tejer 1 punto bajo en cada punto y rematar la labor.

Acabado

Tejer 10 puntos de cadeneta para el colgante y unirlos con 1 punto enano al borde de la cestita.

Cestita azul claro

Base

Tejer igual que la cestita verde claro.

1.ª-5.ª vueltas: tejer como la cestita verde claro.

6.ª vuelta: * tejer 3 puntos bajos, tejer 2 puntos de cadeneta en cada 4.º punto y repetir sucesivamente a partir del *.

Cuerpo de la cestita

7.ª vuelta: * tejer 1 punto de cadeneta, saltar 1 punto, tejer 1 punto bajo y repetir sucesivamente a partir del *.

8.ª-12.ª vueltas: tejer 1 punto bajo en cada punto y rematar la labor.

Acabado

Tejer 10 puntos de cadeneta para el asa y unirlos con 1 punto enano al borde de la cestita. Para la segunda asa, tejer otros 10 puntos de cadeneta y fijarlos en la cestita con 1 punto enano.

Cestita alta jaspeada con tonos verdes

Base

Tejer igual que la cestita verde claro.

1.ª-4.ª vueltas: tejer como la cestita verde claro.

Cuerpo de la cestita

5.ª vuelta: * tejer 1 punto de cadeneta, saltar 1 punto, tejer 1 punto de cadeneta y repetir sucesivamente a partir del *.

6.ª-21.ª vueltas: tejer 1 punto bajo en cada punto y rematar la labor.

Acabado

Tejer 10 puntos de cadeneta para el asa y fijarlos con 1 punto enano al borde de la cestita.

PRUEBA DE GANCHILLO

Se teje el dibujo básico con hilo doble y una aguja de ganchillo de 7 mm.

Cestita verde claro:
14 puntos y 15 vueltas = 10 x 10 cm.

Cestita azul claro:
11 puntos y 14 vueltas = 10 x 10 cm.

Cestita alta jaspeada con tonos verdes:
14 puntos y 15 vueltas = 10 x 10 cm.

Base de asiento de fieltro textil

TAMAÑO DEL GRUPO
1 persona

OCASIÓN
En cualquier ocasión

TIEMPO DE PREPARACIÓN
30 minutos aprox.

PRESUPUESTO
15–25 euros aprox.

PATRONES
Página 131

MATERIALES

BASE MULTICOLOR
- 6 tiras de 30 x 2 cm de fieltro textil de color amarillo maíz
- 6 tiras de 30 x 2 cm de fieltro textil de color verde suave
- 4 tiras de 30 x 2 cm de fieltro textil de color rojo cereza
- 4 tiras de 30 x 2 cm de fieltro textil de color azul claro
- 4 tiras de 30 x 4 cm de fieltro textil de color azul claro
- Hilo de algodón de color dorado
- Cartón, 15 x 2 cm

BASE AMARILLA Y NARANJA
- Hilo de algodón de color dorado
- Fieltro textil de color amarillo maíz, 7 tiras de 30 x 2 cm
- Fieltro textil de color naranja, 6 tiras de 30 x 2 cm
- Fieltro textil de color rojo, 4 tiras de 30 x 4 cm

HERRAMIENTAS
- Aguja de lana, sacabocados y tijeras
- Escuadra grande, lápiz, papel transparente y cartón (para una plantilla)

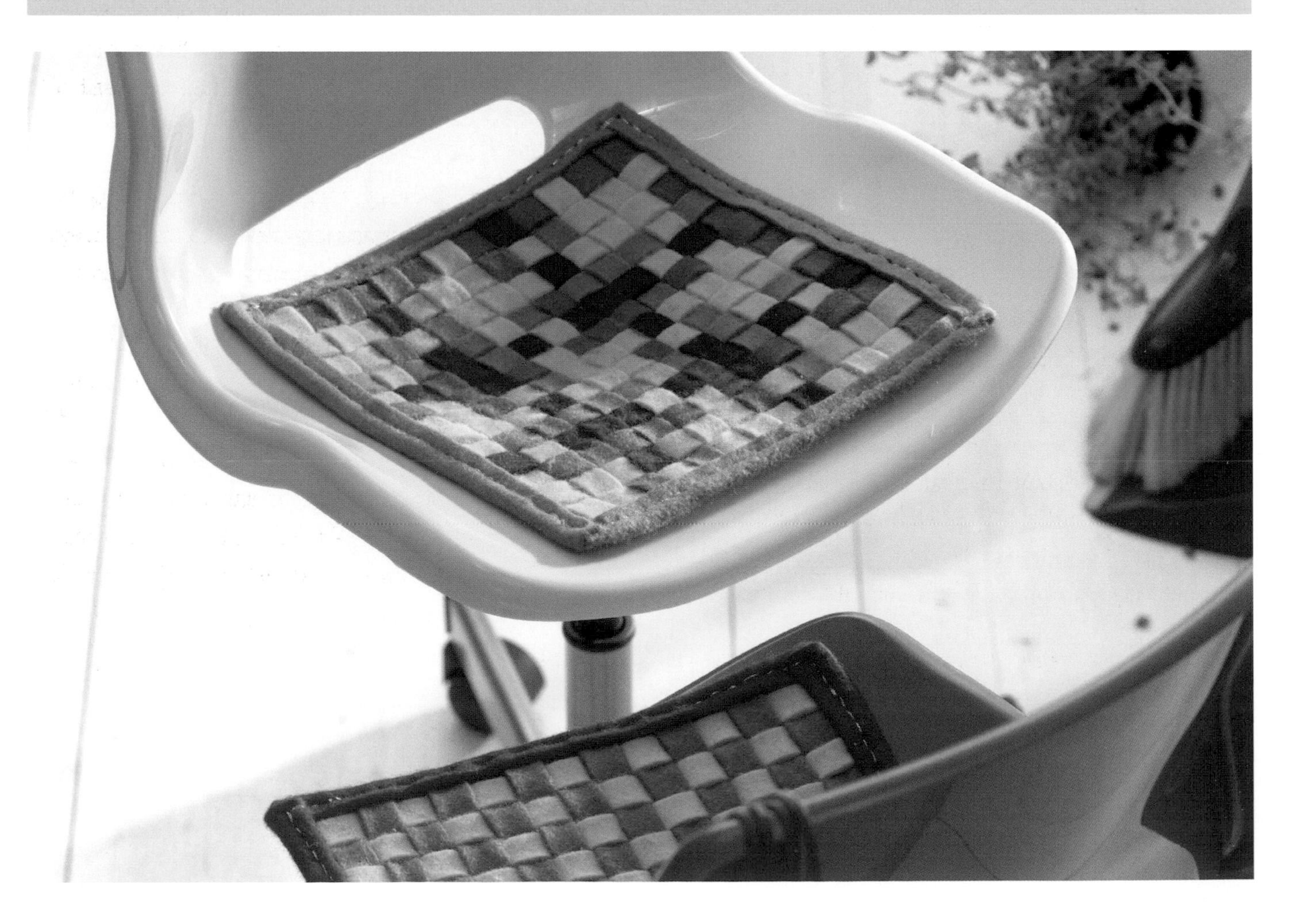

Instrucciones

Con estas bases artesanales se pueden conseguir unos asientos cómodos y llamativos. Se recomienda entretejer superficies más amplias que las de este proyecto para coserlas juntas y cubrir con ellas el respaldo completo de una silla. Así a la persona mayor le resultará más fácil encontrar su asiento.

1 Medir y marcar las tiras de fieltro textil a lo ancho, con una escuadra y un lápiz, para evitar así que sobre fieltro.

2 Realizar unos pequeños agujeros a ambos lados de las tiras: dibujarlos primero con ayuda de la plantilla y luego perforarlos con el sacabocados.

3 Las piezas del borde tienen en total 30 agujeros en cada lado, con 1 cm de distancia entre dos agujeros consecutivos. ¡El primer y el último agujeros quedan a solo 5 mm del borde lateral!

4 Para coser las tiras en una tira del borde se necesita un hilo largo de color dorado con un nudo en un extremo. Pinchar el hilo a través del cuarto agujero, desde arriba hacia abajo, y a través del tercer agujero de vuelta hacia arriba (para que el nudo del hilo no quede visible); luego seguir pinchando el hilo a través de los agujeros de la primera tira. A continuación, pinchar el hilo a través de los dos agujeros de la tira del borde y de nuevo por los dos agujeros de la segunda tira, y así sucesivamente hasta que todas las tiras queden cosidas en el orden deseado. En total son trece tiras; en cada lado de la tira del borde deben sobrar dos agujeros.

5 Colocar una tira de fieltro una vez por encima y otra por debajo de una tira cosida, pasar la segunda tira primero por debajo y después por arriba, de modo que la fila quede desplazada. Colocar la tercera tira como hicimos en la primera fila, la cuarta fila igual que la segunda fila y así sucesivamente. Proceder de este modo hasta que las trece tiras estén entretejidas.

6 Mientras tanto, ir desplazando las tiras con las manos, procurando que las tiras cosidas señalen hacia abajo y queden rectas. Los extremos de todas las tiras deben sobresalir unos 2 cm para que las tiras del borde puedan coserse allí.

7 Después de entretejer las tiras, comprobar que todos los extremos de las mismas sobresalen unos 2 cm y luego coserlas sobre las tres tiras restantes del borde como se describe en el apartado 4.

8 Para terminar, coser las tiras del borde seguidas, por delante, con punto de hilván. Para ello, doblar las tiras del borde por la mitad y pinchar la aguja, alternando desde delante hacia atrás, a través de los agujeros de la tira del borde y a través de los agujeros de las tiras entretejidas. Luego coser con punto de hilván en la dirección contraria para que todos los agujeros queden unidos con el hilo dorado, como se ve en la fotografía.

Cuadro con hilos tensados

TAMAÑO DEL GRUPO
1-5 personas

OCASIÓN
En cualquier ocasión

TIEMPO REQUERIDO
45 minutos

TIEMPO DE PREPARACIÓN
20 minutos aprox.

PRESUPUESTO
15 euros aprox.

DIAGRAMA Y PATRONES
Página 134

MATERIALES POR PERSONA

- Tablero de madera contrachapada, de 1 cm de grosor y 12 x 12 cm
- Pintura acrílica de color amarillo claro
- Papel de seda de paja de color amarillo claro (en caso necesario)
- Hilo de coser de color violeta
- Esponja o pincel de cerdas
- Pegamento extrafuerte (en caso necesario)
- Pegamento para servilletas (en caso necesario)
- Clavos para rodapiés, de cabeza plana o de latón
- Alicates de punta plana, martillo y punzón

Instrucciones

Crear cuadros con hilos tensados: una ocupación bonita y una decoración encantadora. Prepare antes la tabla con los clavos; la complicación del diseño dependerá de las capacidades de los participantes.

1 La tabla se puede recubrir con una capa de pintura acrílica de color. Aplicar un poco de pintura sobre la tabla, distribuirla con la esponja o el pincel de cerdas, primero con movimientos circulares amplios y después de un lado hacia el otro hasta conseguir una superficie uniforme. ¡No olvidar pintar los cantos del borde de la tabla!

2 Si se desea forrar la tabla con papel de seda de paja, cubrir primero la tabla con pintura acrílica. Una vez seca, aplicar sobre ella pegamento para servilletas y extender encima el papel de seda de paja (del mismo tamaño que la tabla).

3 Colocar sobre la tabla una fotocopia ampliada del patrón (ver la página 134). Sujetar esta con una mano y con la otra perforar en la madera los agujeros para los clavos que están señalados en la fotocopia; hacer las marcas con un punzón y a distancias regulares. Una vez transferidos todos los agujeros, se puede retirar la fotocopia.

4 Para clavar rectos los clavos se recomienda sujetarlos con unos alicates de punta plana. Los clavos deben quedar hundidos hasta la mitad de su longitud, más o menos. Después de clavar cinco clavos, comprobar que estén rectos y, en caso necesario, enderezar con los alicates de punta plana.

5 Anudar el hilo en el clavo 1 y tensarlo en transversal sobre el corazón hacia el clavo 2. Colocar el hilo alrededor del clavo contiguo 3 y luego tensarlo en transversal por el centro hacia el clavo 4. Continuar del mismo modo con el resto de los clavos (ver el diagrama 1, en la página 134).

6 Después de tensar los hilos, volver a tensarlos sobre el clavo contiguo al siguiente, de este modo la encordadura se va desplazando en la dirección contraria a las agujas del reloj. Terminar en el clavo situado a la izquierda del clavo 1 (ver el diagrama 2, en la página 134).

7 Debido a que el borde del corazón presenta un hueco después de cada segundo clavo, tensar el hilo ahora en el sentido de las agujas del reloj, alrededor del corazón (el contorno), envolviendo con él cada clavo. Para terminar, anudar bien el hilo en el clavo 1 (ver el diagrama 3, en la página 134).

PREPARAR LA TABLA

Se recomienda pedir en el almacén que sierren una tabla con el tamaño deseado. Si se dispone de buenas herramientas, uno mismo puede serrar la tabla con una sierra circular. Después alisar y redondear bien los cantos y las esquinas de la tabla con un papel de lija.

ANUDAR EL HILO

Antes de empezar con el encordado, enrollar dos veces el inicio del hilo alrededor del primer clavo y fijarlo con varios nudos. Después se trabaja directamente con la bobina del hilo. Para terminar, se vuelve a anudar el hilo otra vez en el clavo. Esto es especialmente difícil cuando se realizan encordados muy compactos. Pero con unas pinzas puntiagudas, el hilo se pasa fácilmente a través del encordado.

Adornos artesanales para servilletas

TAMAÑO DEL GRUPO
1 persona

OCASIÓN
Días festivos

TIEMPO REQUERIDO
90 minutos

TIEMPO DE PREPARACIÓN
20 minutos aprox.

PRESUPUESTO
10-15 euros aprox.

MATERIALES (PARA UNA ROSA)

- Telas de algodón con diferentes estampados, de 1,4 m de ancho, 2 tiras de 10 cm de largo (1 para cada rosa y 1 para la cinta)
- Plantilla Rose Maker (se puede adquirir en mercerías), tamaño M
- Máquina de coser, hilo y aguja de coser
- Tijeras

Instrucciones

Estas rosas aportan un atractivo especial a una mesa preparada para un día festivo. Se cosen parcialmente a mano. Usted tiene que valorar si los participantes pueden coser a máquina o si es preferible que les dé las flores.

1 Cortar una tira de tela de 73 x 9 cm para la cinta; para la pieza de la rosa, se recomienda orientarse siguiendo las instrucciones de la plantilla (Rose Maker). Luego confeccionar la rosa con costura oculta, según las instrucciones.

2 Para la cinta, planchar el rectángulo de tela por la mitad a lo largo, derecho con derecho, y cortar los extremos en un ángulo de 45°. Coser los cantos abiertos y dejar uno de los cantos cortos sin coser, pues este servirá para volver la cinta del derecho. Planchar los cantos de las costuras.

3 Doblar hacia dentro el margen de costura del canto abierto y cerrarlo con una costura a mano. Coser también a mano la rosa de tela en el centro de la cinta. Para terminar, anudar dos veces la cinta alrededor de la servilleta enrollada.

Bolsitos de tela

TAMAÑO DEL GRUPO
1 persona

OCASIÓN
En cualquier ocasión

TIEMPO REQUERIDO
90 minutos aprox.

TIEMPO DE PREPARACIÓN
15 minutos aprox.

PRESUPUESTO
15 euros aprox.

MATERIALES (PARA UN BOLSITO)

- 4 retales de telas de diferentes colores, de 14 x 22 cm cada uno (dos para el forro y dos exteriores)
- Cinta de satén, de 1 cm de ancho y 25 cm de largo
- Máquina de coser, hilo y aguja y tijeras

Instrucciones

Para guardar bisutería o joyas, o como envoltorios para regalos, estos encantadores bolsitos de tela son muy prácticos. Atención: no se debe estresar a los participantes, por lo que se recomienda coser solo con personas mayores que ya dominen las bases fundamentales de esta técnica.

1 Todos los bolsos se cosen igual. Montar juntas una tela de forro y una tela exterior, derecho con derecho, es decir, con el lado bonito de la tela hacia dentro, y luego coserlas juntas por un lado corto. Colocar una cinta decorativa en el centro de una pieza, entre las capas, y coserla con ellas.

2 Alisar las costuras con la plancha. Abrir las dos piezas de tela y luego colocarlas una sobre otra, de modo que las dos piezas de forro y las dos piezas de tela exterior queden montadas derecho con derecho. La cinta cosida en el paso 1 queda ahora entre las capas del forro. Coser juntas las capas de tela por los cantos exteriores; al hacerlo, coser la segunda cinta decorativa en el canto entre las dos capas de tela exterior (colocar el extremo largo de la cinta hacia dentro). Dejar un trozo abierto para dar la vuelta.

3 Dar la vuelta a la pieza de tela, de modo que los lados de tela del derecho señalen hacia fuera. Coser el pequeño agujero a mano e introducir la tela de forro dentro de la tela exterior. Por último, alisar todo bien con la plancha.

Cuadro bordado

TAMAÑO DEL GRUPO
1 persona

OCASIÓN
Primavera / Verano

TIEMPO REQUERIDO
No se debe estresar al participante. Dependiendo de sus capacidades, realizar esta actividad haciendo pausas más o menos largas para descansar y relajarse.

TIEMPO DE PREPARACIÓN
20 minutos aprox.

PRESUPUESTO
25-30 euros aprox.

PATRONES
Página 131

MATERIALES
- Tejido de lino Cashel de color blanco (color 100), de 20 x 20 cm
- Tela a rayas de color verde menta, de 38 x 38 cm
- Hilo de bordar Anchor de color blanco (color 1), rosa (color 24), fucsia (color 27), rosa claro (color 48), verde menta (color 185), verde claro (color 204), gris piedra (color 232), marrón oscuro (color 380), verde oscuro (color 923), rojo vino (color 1005), albaricoque (color 1010) y verde amarillento (color 1043), 1 madeja de cada color
- Marco de color blanco, de 32 x 32 cm
- Aguja para bordar del n.º 22, con punta roma
- Tijeras de bordar

Instrucciones

Este extraordinario cuadro bordado requiere un poco de tiempo y paciencia. Pero tiene todo el atractivo de una belleza atemporal.

1 Bordar el motivo en el centro de la tela de lino blanca, según el patrón de bordado.

2 Luego colocar la tela blanca en el centro de la tela a rayas, fijarla con alfileres y coserla con punto en zigzag. Por último, enmarcar el cuadro con el bordado con hilo verde menta (color 185).

Consejo

Se recomienda aplicar con la plancha una entretela termoadhesiva sobre el reverso del bordado para evitar que la tela de rayas se transparente.

LETRERO PARA LA PUERTA
Si se borda un nombre, este cuadro sirve como adorno para la puerta. Así la persona mayor se puede orientar en la casa sin ayuda de nadie.

I'm in the garden

Materiales naturales

La naturaleza es una rica fuente de inspiración para realizar manualidades creativas. Además, también nos provee de los materiales: piedras, nueces, musgo, pequeñas ramas, conchas y, naturalmente, flores de todos los colores y formas, dependiendo de la estación del año. Muchas veces no se requiere demasiado esfuerzo para transformar estos tesoros en preciosos objetos decorativos. Contemple y descubra usted mismo la diversidad de la naturaleza.

Estampado con motivos naturales

TAMAÑO DEL GRUPO
Actividad individual
o en grupo, con un máximo
de 8 personas

OCASIÓN
Primavera / Verano / Otoño

TIEMPO REQUERIDO
20-40 minutos

TIEMPO DE PREPARACIÓN
15 minutos aprox.

PRESUPUESTO
10 euros aprox.

MATERIALES POR PERSONA

- Materiales naturales, como hojas y flores
- Papel de periódico
- Cartulina o papel de arroz
- Témpera o pintura acrílica de diferentes colores
- Pincel de cerdas

Instrucciones

El aficionado creativo tiene a su disposición materiales naturales para estampar; todos conocemos algunos, pero hay muchos más por descubrir, desde un pétalo hasta una hoja. En la página siguiente encontrará otra idea para estampar con patatas.

1 Junto con las personas mayores, recoger diferentes hojas, flores y plantas.

2 Cubrir la superficie de trabajo con papel de periódico. Facilitar un pincel y una hoja de papel a cada persona del grupo. Colocar las pinturas de forma que todos los participantes tengan un fácil acceso a ellas.

3 Después, aplicar el color sobre los materiales. Procurar que la pintura no quede demasiado fluida y no aplicar demasiada cantidad.

4 Estampar el lado coloreado de las hojas, flores o plantas sobre el papel blanco.

ELABORAR TARJETAS

El estampado con hojas y flores queda fantástico para elaborar tarjetas. Facilite a cada participante una tarjeta blanca en vez de una hoja de papel.

ESTAMPAR MATERIALES

La técnica de estampado se puede realizar también con materiales artificiales, como esponjas pequeñas o porexpán.

ACTIVACIÓN

Las hojas, las plantas y las flores estimulan todos los sentidos.
Al recoger estos materiales, permita que las personas mayores los huelan y pregúnteles a qué les recuerda ese olor. Los olores naturales muchas veces despiertan bonitos recuerdos.

Estampado multicolor para decorar la mesa

TAMAÑO DEL GRUPO
1-5 personas

OCASIÓN
Navidades / Días festivos

TIEMPO REQUERIDO
20-30 minutos

TIEMPO DE PREPARACIÓN
5 minutos aprox.

PRESUPUESTO
2 euros aprox.

MATERIALES POR PERSONA
- Cartulina, A4
- Manzana o patata
- Pintura acrílica y pincel
- Forma para troquelar: corazón o estrella, de 4,5 cm Ø aprox.
- Lámina adhesiva de plástico transparente
- Lápices de colores
- Cuchillo de cocina

Instrucciones

¿Quién no ha realizado estampados con patatas cuando era un niño? ¡Esta es la actividad adecuada para ser creativo con los nietos!

1 Cortar la patata por la mitad y después presionar la forma para troquelar en la superficie cortada de la patata, tan profundamente como sea posible. Recortar alrededor con el cuchillo, desde el lateral hasta la forma para troquelar, retirando así la pulpa de patata que sobra. Si se va a estampar con una manzana, partir esta por la mitad y extraer el núcleo con las pepitas con un cuchillo, teniendo mucho cuidado.

2 Redondear las esquinas de la cartulina con las tijeras. Aplicar con el pincel el color elegido de pintura acrílica sobre el sello de patata o de manzana. Luego estampar el sello sobre la cartulina. Pintar las pepitas sobre el motivo de la manzana con un lápiz de color marrón.

3 Una vez que todo esté seco, extender la lámina adhesiva de plástico transparente sobre la cartulina impresa, alisar bien procurando que no queden burbujas ni pliegues y recortar el plástico sobrante.

Un paseo por la playa

TAMAÑO DEL GRUPO
1-4 personas

OCASIÓN
En cualquier ocasión

TIEMPO REQUERIDO
30-45 minutos más los tiempos de secado

TIEMPO DE PREPARACIÓN
60 minutos aprox. (contando con un paseo por la playa)

PRESUPUESTO
10 euros aprox.

MATERIALES (PARA UN CUADRO)
- Bastidor para cuadro, de 20 x 20 cm
- Pintura acrílica de color blanco y azul
- Conchas de formas variadas
- Arena de playa
- Barniz mate en spray
- Cola blanca o cola de contacto
- Pincel

Instrucciones

Estos cuadros irradian puro ambiente veraniego gracias a su decoración con objetos encontrados durante el último paseo por la playa. Los tesoros recogidos salen así de las cajas y de las estanterías, despertando recuerdos de hermosos momentos.

1 Cubrir los bastidores con una capa de pintura blanca, dejar secar, aplicar otra capa de pintura y volver a dejar secar.

2 A continuación, pintar los bastidores de color azul, como se ve en la fotografía.

3 Una vez secos, pegar las conchas con abundante pegamento.

4 Pasar una barra de pegamento por las zonas previstas para fijar la arena. Después, espolvorear la arena por encima, pulverizar con laca para el pelo y dejar secar.

CUADROS DE LA NATURALEZA

Estos cuadros pueden realizarse también con otros objetos encontrados en la naturaleza como, por ejemplo, hojas secas, pequeñas ramas, conchas de caracoles o bayas. En lugar de pintura de color azul, en este caso se puede utilizar otra de color rojo o verde.

SALIR A PASEAR

Recoger objetos en la naturaleza junto con los participantes. ¡Un paseo moviliza y relaja!

Portavelas con un toque veraniego

TAMAÑO DEL GRUPO
1-4 personas

OCASIÓN
Verano

TIEMPO REQUERIDO
15 minutos aprox.

TIEMPO DE PREPARACIÓN
20 minutos aprox.

PRESUPUESTO
5 euros aprox.

MATERIALES (PARA UN PORTAVELAS)
- Papel vegetal o papel cebolla, A4
- Rafia de rayón, 20 cm de largo
- Flores secas
- Lámina adhesiva de plástico transparente
- Perforadora, cúter con soporte para cortar
- Tijeras y pegamento
- Vela de pila de botón

Instrucciones

Estos fantásticos portavelas veraniegos se realizan con flores secas, papel vegetal o cebolla y una lámina adhesiva de plástico transparente. En lugar de flores, para adornarlos también pueden utilizarse felicitaciones, refranes o fotografías.

1 Recortar un rectángulo de papel vegetal o papel cebolla de 28 x 15 cm.

2 Pegar seis flores secas en el centro del rectángulo, a distancias regulares, con pegamento.

3 Plastificar el rectángulo con la lámina adhesiva de plástico transparente o llevarlo a plastificar.

4 Recortar el rectángulo con el cúter. Dejar una tira de 1 cm de ancho en los bordes izquierdo y derecho para realizar la perforación. Perforar agujeros en ambos lados, a distancias regulares entre ellos y a 5 mm del borde.

5 Curvar el rectángulo formando un cilindro, de modo que los agujeros queden superpuestos unos sobre otros. Enfilar por ellos la rafia de rayón, anudar por abajo y atar un lazo en el borde superior. Extender bien la rafia del lazo.

Nota: como los materiales empleados en este portavelas son inflamables, se recomienda utilizar una vela de pila de botón en lugar de una vela convencional.

Huevos de Pascua con salpicaduras de color

TAMAÑO DEL GRUPO
1-5 personas

OCASIÓN
Pascua

TIEMPO REQUERIDO
90 minutos aprox.

TIEMPO DE PREPARACIÓN
40 minutos aprox.

PRESUPUESTO
7 euros aprox.

PATRONES
Página 130

MATERIALES POR PERSONA

- Huevos de gallina de cáscara blanca
- Colador fino (colador de té)
- Cepillo de dientes viejo
- Pintura para decorar huevos y acuarelas
- Cinta de pintor
- Lápiz, papel transparente o papel de calco y cartón (para plantillas)

Instrucciones

Sencillos, pero decorativos: estos huevos de Pascua se decoran realizando un fino salpicado con un colador, un cepillo de dientes y acuarelas.

1 Colorear los huevos con las pinturas especiales para decorarlos o con acuarelas, a gusto personal, y según las instrucciones del fabricante; después, realizar un salpicado con uno o varios colores. La técnica del salpicado es un juego de niños: impregnar el pincel humedecido en el color que se desee, sujetar el colador sobre el huevo y frotar el pincel con fuerza sobre el colador.

2 También es muy fácil hacer los dibujos sobre el huevo. Transferir los motivos del patrón sobre la cinta de pintor con ayuda de una plantilla, recortar y pegar sobre el huevo. Aplicar un salpicado de color sobre el huevo, dejar secar y luego retirar la cinta de pintor con el motivo.

3 Los motivos se pueden adornar como cada uno prefiera: por ejemplo, con cuentas o pequeños objetos de la naturaleza.

PATRONES RÁPIDOS DE REALIZAR

Los motivos se pueden transferir sobre los huevos desde un patrón, tal como se describe en las instrucciones. Pero existen numerosos troqueladores de motivos con formas diferentes que pueden utilizarse también para este fin.

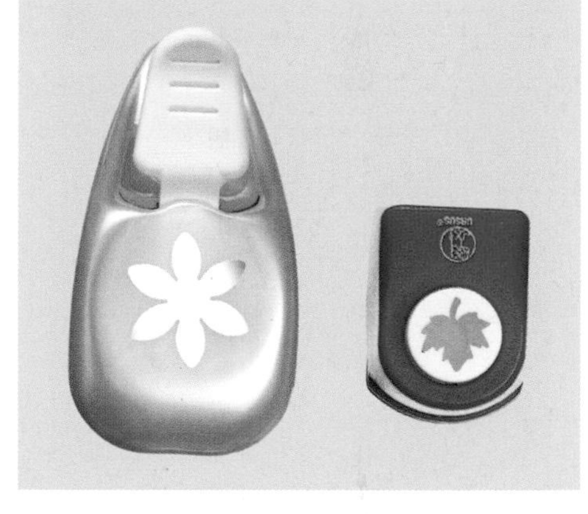

Tarjetas con rosas

TAMAÑO DEL GRUPO
1-8 personas

OCASIÓN
Cumpleaños / Días festivos

TIEMPO REQUERIDO
15 minutos aprox.

TIEMPO DE PREPARACIÓN
5 minutos aprox.

PRESUPUESTO
3 euros aprox.

PATRONES
Página 134

MATERIALES POR PERSONA

- Cartulina gruesa de color rosa y fucsia, de 18 x 21 cm, A4
- Cartulina de color rosa, de 14 x 10,5 cm, y barra de pegamento
- Pétalos secos y prensados
- Cinta de tul de color rosa, de 7 mm de ancho y 22 cm de largo
- Blonda de papel blanco para pasteles, de 9 cm Ø, y laca para el pelo
- Lápiz, papel transparente o papel de calco y cartón (para una plantilla)
- Cola vinílica o cola blanca

Instrucciones

Una tarjeta para una invitación, una tarjeta de agradecimiento o de saludo, todas salen del corazón. ¡Y huelen muy bien!

Tarjeta con flor

Realizar la tarjeta con cartulina gruesa, tal como se describe en la Tarjeta con corazón. Pegar la cartulina rosa en la parte delantera de la tarjeta, bien centrada, y fijar encima la blonda de papel blanco. Pegar sobre esta los pétalos de la flor, con el extremo claro señalando hacia el centro.

Tarjeta con corazón

1 Recortar la cartulina gruesa con un tamaño A4 y doblarla por la mitad. Transferir el patrón del corazón sobre la parte delantera de la tarjeta.

2 Fijar los pétalos sobre la forma del corazón con la barra de pegamento: primero dar forma al borde y después pegar el centro. Pegar los pétalos siempre con el lado oscuro y más ancho señalando hacia arriba. Trabajar con cuidado, ya que los pétalos secos se rompen fácilmente.

3 Por último, pegar la cinta de tul arriba y abajo, a unos 2 cm de distancia del borde, y cortar lo que sobre.

REQUISITOS PARA TRABAJAR CON LA MOTRICIDAD FINA

- Suficiente tensión muscular en manos y dedos.
- Sensibilidad en manos y dedos (importante para agarrar y sujetar objetos pequeños).
- Dosificación adecuada de la fuerza.

FIJAR

Los pétalos se pegan muy bien y brillan un poco si se fijan en la tarjeta con cola vinílica o cola blanca.

Calabaza con nombre

TAMAÑO DEL GRUPO
1-8 personas

OCASIÓN
Otoño

TIEMPO REQUERIDO
30 minutos

TIEMPO DE PREPARACIÓN
10 minutos aprox.

PRESUPUESTO
5 euros aprox.

MATERIALES POR PERSONA
- Calabaza de color crema y verde, de 10 cm Ø aprox.
- Escaramujos
- Alambre plateado, de 0,35 mm Ø y 1 m de largo
- Hojas de hiedra
- Rotulador de color plata
- Lápiz redondo

Instrucciones

Muchas veces, lo que hace diferentes del resto a los días festivos son los pequeños adornos y el cuidado especial de los detalles.

1 Fijar el alambre plateado en el tallo de la calabaza.

2 Enrollar el alambre plateado en espiral alrededor de un lápiz redondo. Después, extraer el lápiz. Fijar encima los escaramujos y las hojas de hiedra.

3 Para terminar, escribir el nombre del invitado sobre la hoja grande de hiedra y fijar esta en el alambre.

Consejo

Utilizar calabazas de diferentes formas y colores para decorar la mesa, así nunca resulta aburrida.

Piedra con nombre

TAMAÑO DEL GRUPO	TIEMPO REQUERIDO	MATERIALES POR PERSONA
1-8 personas	20 minutos	• Piedra • Rotulador de color dorado de tinta permanente • Diferentes materiales naturales, como ramitas y hojas
OCASIÓN	**TIEMPO DE PREPARACIÓN**	
En cualquier ocasión	5 minutos aprox.	
	PRESUPUESTO	
	3 euros aprox.	

Instrucciones

La piedra con nombre se hace rápidamente y produce un efecto muy decorativo. Solo hay que escoger una piedra lo más lisa posible y rotularla con un nombre en color dorado.

Recoger piedras adecuadas, hierbas, ramitas y hojas con las personas mayores durante un paseo.

Para estimular los sentidos, se recomienda adornar la piedra alrededor con distintas hierbas aromáticas.

Gnomos del bosque

TAMAÑO DEL GRUPO
1-4 personas

OCASIÓN
Otoño

TIEMPO REQUERIDO
90 minutos aprox.

TIEMPO DE PREPARACIÓN
30 minutos aprox.

PRESUPUESTO
12-15 euros aprox.

PATRONES
Páginas 132-133

MATERIALES (PARA UNA FIGURA)

- 2 bolas de porexpán, de 7 y 10 cm Ø
- 24 escaramujos
- 2 castañas
- 2 cápsulas de amapola
- Hojas de hiedra o musgo
- Trozo de madera, de 5 mm Ø y 2 cm de largo
- Liquen
- Fieltro para manualidades de color rojo, A4
- Hilo grueso de floristería, 60 cm de largo aprox.
- Pintura acrílica de color carne
- Rotulador permanente de color negro y rojo
- Pincho para brochetas
- Aguja de coser grande
- Taladro, de 2 mm Ø
- Pegamento para manualidades y pincel

Instrucciones

Estos alegres acompañantes estarán a su lado durante todo el otoño. Los escaramujos y las cápsulas de amapola se enfilan simplemente en un hilo o un alambre y el cuerpo se recubre pegando hojas de hiedra o liquen.

1 Pintar las bolas pequeñas de porexpán con pintura acrílica de color carne y dejar secar. Pintar los ojos y la boca con rotuladores de color negro y rojo, respectivamente. Pegar el trozo de madera para la nariz. Fijar el liquen para dar forma al pelo. Recortar el gorro de fieltro con ayuda del patrón, darle forma cónica y pegarlo por la zona inferior; pegar la punta y fijar el gorro sobre la cabeza del gnomo.

2 Pegar hojas sobre toda la bola de porexpán grande y dejar que todo se seque bien. También se puede fijar algo de liquen por encima con ayuda del hilo grueso de floristería.

3 Utilizar un pincho para brochetas para perforar dos agujeros en la parte de abajo de la bola de porexpán grande y pegar los hilos dentro de ellos. Enfilar los escaramujos y, para terminar, enfilar las castañas perforadas y hacer un nudo en los extremos del hilo.

4 Para realizar los brazos, enfilar primero los escaramujos, después las cápsulas de amapola perforadas y fijar la cadena obtenida en la parte superior de la bola de porexpán. Pegar encima las hojas en círculo, a modo de cuello. Dejar secar durante toda la noche. Por último, unir el cuerpo y la cabeza mediante un pincho para brochetas y, en caso necesario, fijar con pegamento.

Portavelas con hojas

TAMAÑO DEL GRUPO
1-5 personas

OCASIÓN
Otoño

TIEMPO REQUERIDO
20-30 minutos

TIEMPO DE PREPARACIÓN
5 minutos aprox.

PRESUPUESTO
8 euros aprox.

MATERIALES POR PERSONA (PARA UN PORTAVELAS)

- Hojas secas
- Servilleta de color blanco de dos capas
- Pegamento para servilletas
- Vela y vaso
- Pincel de cerdas

Instrucciones

Estos portavelas decorativos son muy fáciles de realizar. Resultan muy apropiados, sobre todo, para preparar una fiesta de otoño o para cualquier otra celebración.

1 Desprender una capa de la servilleta y cortarla con las medidas correctas, de modo que se adapte al contorno del vaso.

2 Dejar a los participantes que apliquen con el pincel el pegamento para servilletas sobre el vaso y pegar la capa de servilleta cortada en el paso anterior. Pegar encima las hojas, cada uno a su gusto.

3 Aplicar de nuevo el pegamento para servilletas sobre todo el vaso cubierto de hojas. Colocar encima la otra capa de servilleta, fijándola alrededor del vaso, y volver a aplicar pegamento. Dejar secar todo bien.

UN PASEO POR EL BOSQUE

En ninguna otra estación del año la naturaleza presenta un colorido tan vivo como en el otoño. Por ello, antes de comenzar este proyecto se puede dar un paseo por el bosque para recoger algunas hojas.

HOJAS PRENSADAS

Para que las hojas se sequen, hay que dejarlas varios días en casa. Se recomienda guardar las hojas recogidas entre las páginas de un libro grueso. Para este fin vienen muy bien los listines telefónicos.

Marcapáginas

TAMAÑO DEL GRUPO
1-5 personas

OCASIÓN
En cualquier ocasión

TIEMPO REQUERIDO
45 minutos

TIEMPO DE PREPARACIÓN
5 minutos aprox.

PRESUPUESTO
2,50 euros aprox.

PATRONES
Página 127

MATERIALES POR PERSONA
- Cartulina gruesa de color naranja, de 6 x 15 cm
- Papel arrugado Crinkle de color naranja
- Hojas y flores recogidas o papel transparente irisado
- Cinta de satén de color azul, de 3 mm de ancho y 20 cm de largo
- Cinta adhesiva de doble cara
- Tijeras con filo dentado y pegamento
- Lápiz, papel transparente o papel de calco y cartón (para una plantilla)
- Sacabocados

Instrucciones

Cuando los días comienzan a acortarse, no hay nada más bonito que sumergirse en el fantástico mundo de los libros y los cuentos. Se puede realizar un marcapáginas a juego con el otoño.

1 Recortar la cartulina gruesa y el papel arrugado con las tijeras de filo dentado. Luego pegar el papel arrugado sobre la cartulina.

2 Pegar sobre el papel arrugado algunas hojas prensadas o flores secas. Como alternativa se pueden recortar con el patrón cuatro hojas de papel transparente irisado. En caso necesario, elaborar previamente una plantilla para los participantes.

3 Pegar juntas las otras dos hojas de papel transparente con cinta adhesiva de doble cara. Después perforar con el sacabocados un agujero en una hoja y otro en el marcapáginas. Por último, anudar la hoja en el marcapáginas con cinta de satén.

Centro de calabaza con flores otoñales

TAMAÑO DEL GRUPO
1-6 personas

OCASIÓN
Otoño

TIEMPO REQUERIDO
20 minutos

TIEMPO DE PREPARACIÓN
15 minutos aprox.

PRESUPUESTO
5 euros aprox.

MATERIALES
- Flores de estación, por ej., helenio, tagetes, uva cana, áster, siemprevivas, girasoles, acónito, áster amarillo, cápsulas de amapola, flores de manzanilla, farolillos chinos, etc.
- 9 calabazas pequeñas
- 21 tubos de ensayo
- Embudo o jeringuilla desechable
- Sacabocados de ceramista y tijeras

Instrucciones

La abundancia otoñal y el esplendor de sus colores: esta decoración con calabazas y flores produce un gran efecto, tanto como pieza individual como en conjunto.

1 Con un sacabocados de ceramista hacer en la calabaza pequeños agujeros redondos del tamaño de un tubo de ensayo. El número de agujeros varía de uno a tres, dependiendo del tamaño de la calabaza. Insertar los tubos de ensayo en los agujeros y verter agua en los tubos. Para ello se recomienda utilizar un embudo o una jeringuilla desechable.

2 Cortar los tallos de las flores con la longitud adecuada, realizando un corte sesgado, e introducirlos dentro de los tubos de ensayo. Si las calabazas se colocan en paralelo, todas las flores deben tener una altura similar para crear un efecto de profundidad óptica.

ACTIVACIÓN

Halloween saca las calabazas a la calle: por todas partes, brillan en los jardines y en las ventanas los farolillos de calabaza. No se da importancia a la pulpa de la calabaza, pero merece la pena prestar más atención a esta versátil hortaliza, pues la pulpa, las pepitas y el aceite poseen cualidades saludables.

RECETA PARA UNA CREMA DE CALABAZA

Ingredientes:

- 1 kg de pulpa de calabaza
- Mantequilla
- 1 cebolla
- 1 nabo pequeño
- 1 manzana
- 1 l de caldo de verduras
- Jengibre, pimentón, curry, sal y pimienta
- 1 cucharada sopera de nata agria
- Almendras laminadas

Preparación:

1 Pelar la cebolla, el nabo y la manzana, trocearlos y después rehogarlos en mantequilla.
2 Añadir la pulpa de calabaza troceada y el caldo de verduras.
3 Dejar cocer unos 10 minutos a fuego medio. Triturar para reducirlo a puré y condimentar con las especias.
4 Antes de servir, añadir a la crema de calabaza una cucharada de nata agria y algunas almendras laminadas tostadas para dar un toque refinado.

Ornamentación verde para la Pascua

TAMAÑO DEL GRUPO
1-8 personas

OCASIÓN
Jueves Santo / Pascua

TIEMPO REQUERIDO
20 minutos

TIEMPO DE PREPARACIÓN
5 minutos aprox.

PRESUPUESTO
8 euros aprox.

MATERIALES POR PERSONA
- Cartón de huevos
- Tierra, algodón o papel de cocina
- Semillas de berros
- Huevos pequeños, adornos de Pascua

Instrucciones

Se dice que las plantas y las hierbas sembradas el día de Jueves Santo poseen grandes poderes curativos. Los berros crecen rápido y sin problemas en el alféizar de la ventana. Dentro de un cartón de huevos se convierten en una bonita ornamentación y además, con su alto contenido en vitaminas y minerales, suponen un auténtico tónico estimulante para el cansancio primaveral.

1 Rellenar cada hueco del cartón de huevos con tierra, algodón o papel de cocina hasta una altura de unos 2 cm y humedecer el relleno.

2 Espolvorear encima las semillas de berros de modo uniforme. Estas semillas brotan en un día.

3 Mantener el semillero húmedo en los primeros días tras la plantación, pero sin regar mucho.

4 Los berros se pueden decorar con huevos pequeños, adornos de Pascua o similar. Recolectar los berros con un cuchillo afilado.

Consejo

Si se desea que los berros muestren su máximo esplendor el día de Jueves Santo, sembrarlos unas dos semanas antes de Pascua.

TERAPIA DE JARDÍN

Muchas personas están familiarizadas con los trabajos del jardín. Sirven para mantener competencias y potencian el bienestar y la salud. La terapia de jardín estimula la coordinación y activa los sentidos. Sus principios terapéuticos son especialmente útiles en la fase temprana de un cambio cognitivo. Aportan movimiento, aire fresco, bienestar y salud mediante sencillos trabajos familiares. Esta terapia se puede aplicar de forma continua.

HUEVOS DE LA BULA O DE LA INDULGENCIA

Este era el nombre que antiguamente se daba a los huevos que se ponían el día de Jueves Santo. El término bula (o indulgencia) significa una exculpación de la penitencia o el perdón de los pecados. El penitente público, es decir, aquel que estaba condenado públicamente a un castigo eclesiástico, era admitido de nuevo en la Iglesia el día de Jueves Santo. Por eso, el día de Jueves Santo se llama también Día de la Bula. El color rojo de los huevos hace referencia a la sangre de Jesucristo, que absuelve los pecados. Los huevos de la bula se guardaban para el rito de la bendición de la comida. Antiguamente, los impuestos anuales que los arrendatarios pagaban a la nobleza y a la Iglesia, vencían el día de Jueves Santo y se contaban en forma de "intereses de huevos". La deuda tributaria se liquidaba con un último huevo teñido de rojo. Según la costumbre popular, el huevo de la bula evita las desgracias y otorga fuerza.

Cáscaras de mandarina

TAMAÑO DEL GRUPO
1-4 personas

OCASIÓN
Adviento / Navidades

TIEMPO REQUERIDO
30 minutos

TIEMPO DE PREPARACIÓN
10 minutos aprox.

PRESUPUESTO
2 euros aprox.

PATRONES
Página 126

MATERIALES POR PERSONA
- 2 mandarinas o clementinas
- Sacabocados de ceramista con diferentes diámetros
- Cuchillo de cocina
- Cucharilla
- Ramas de abeto o boj
- Vela
- Lápiz de color negro y pegamento

Instrucciones

Las mandarinas tienen muy buen sabor en la época de Adviento y de Navidad. Sus cáscaras exhalan un aroma fresco y estimulante y pueden transformarse fácilmente en preciosos portavelas y cestitas decorativas.

Portavelas

1 Cortar la mandarina para el portavelas con un cuchillo y después vaciarla con una cuchara. Lavar bien la cáscara y dejar secar unas horas.

2 Perforar en la cáscara agujeros de diferentes tamaños con el sacabocados de ceramista. Luego introducir dentro la vela.

Cestita

1 Vaciar y lavar la mandarina del mismo modo que se hizo para el portavelas. Recortar una tira de alrededor de 1,5 cm de la tapadera de la mandarina. Esta tira será el asa de la cestita. Dejar secar todo durante unas horas.

2 Transferir el corazón sobre la cáscara de la mandarina con un lápiz. Perforar con el sacabocados de ceramista agujeros pequeños por el contorno del corazón dibujado. Pegar el asa en la cáscara, a derecha e izquierda, e introducir en su interior pequeñas ramas decorativas de abeto y de boj.

SABOR

El sentido del gusto y los recuerdos que a través de él se asocian con la niñez y juventud, pueden producir un gran efecto. El pasado cobra vida por medio de las impresiones sensoriales correspondientes.

ACTIVACIÓN

En las personas mayores con demencia senil son especialmente importantes las impresiones de acciones cotidianas. En este caso es valioso conocer la mayor información posible sobre las impresiones sensoriales: ¿La naturaleza era importante para ella/él? ¿Le gustaban las flores? ¿Era sensible a los ruidos fuertes?

OLORES ACTIVADORES

Si se prefieren portavelas de mayor tamaño, utilizar otros cítricos en vez de mandarinas, como por ejemplo naranjas o pomelos. Dependiendo de la fruta utilizada, estos portavelas desprenden un olor muy aromático que activa los sentidos.

Comedero para pájaros

TAMAÑO DEL GRUPO
1-3 personas

OCASIÓN
Otoño / Invierno

TIEMPO REQUERIDO
30 minutos

TIEMPO DE PREPARACIÓN
15 minutos aprox.

PRESUPUESTO
4 euros aprox.

MATERIALES POR PERSONA
- Maceta, de 7,5 cm Ø
- Ramas finas del jardín
- 1 bola de madera con perforación, de 16 mm Ø (opcional)
- Cuerda para empaquetar
- Tijeras de jardín
- Bola de sebo para pájaros
- Pistola de pegamento caliente

Instrucciones

Cuando el paisaje exterior está cubierto por un manto blanco de nieve, los valientes pájaros invernales se alegrarán de encontrar este comedero.

MOVILIDAD
Colgar una o más macetas cerca de la casa, en un lugar en el que puedan verse bien. Así el jardín o el triste balcón de invierno se transforman de nuevo en un hermoso escenario. Esto anima a las personas mayores en sus actividades, estimulando la conversación desde la mañana. Así mantienen una buena forma física y la movilidad.

1 Cortar ramas cortas con las tijeras de jardín. Después pegarlas alrededor de la maceta con la pistola de pegamento caliente.

2 Atar un extremo de la redecilla que contiene la bola de sebo con la cuerda para empaquetar. Introducir la cuerda con la bola de sebo a través de los agujeros de la maceta por el interior de esta, de manera que salgan por el exterior de la maceta. Colgar el comedero.

3 Si se desea un elemento decorativo se puede enfilar una bola de madera perforada en la base de la maceta, como se ve en la fotografía.

Consejo

Para conseguir mayor colorido, pintar la maceta, como se prefiera, con pintura resistente al agua y a los cambios atmosféricos.

Velas de cera de abeja

TAMAÑO DEL GRUPO
1-3 personas

OCASIÓN
Invierno

TIEMPO REQUERIDO
30 minutos

TIEMPO DE PREPARACIÓN
10 minutos aprox.

PRESUPUESTO
10 euros aprox.

MATERIALES POR PERSONA

- Placas de panal de cera de abeja
- Cuerda para mecha (mecha redonda)
- Cuchillo de cocina, regla y soporte para cortar
- Secador de pelo
- Formas para troquelar, rodajas secas de naranja, anís estrellado, clavos, etc. (opcional)

Instrucciones

Las velas de cera de abeja irradian una luz festiva, además de exhalar un dulce aroma a miel. Justo lo apropiado para la época prenavideña.

1 Para enrollar una vela de cera de abejas se necesitan una o dos placas de panal y una mecha redonda, que debe tener un poco más de longitud que el lado más estrecho de la placa del panal. Esta debe estar caliente para poder enrollarla bien. En caso necesario, calentarla con el secador de pelo, colocando la placa sobre la superficie de trabajo. Procurar que la cera no se derrita.

2 Colocar la mecha solo en un lado estrecho de la placa de panal, de modo que sobresalga por un lado. A continuación, enrollar muy apretado el canto de la placa de panal alrededor de la mecha y luego seguir enrollando la placa completa (ver la fotografía 1).

3 Si se desea una vela más gruesa, utilizar varias placas de panal. Coger una placa nueva y, en caso necesario, calentarla un poco con el secador de pelo. Después, colocar el lado estrecho de la placa en el extremo de la primera placa y enrollarlas apretadas del mismo modo (ver la fotografía 2).

4 Para conseguir un remate bonito o una forma original se pueden recortar las placas de panal. Existen numerosas posibilidades. Cortar el último trozo con un corte sesgado a fin de obtener un remate más bonito. Si se realiza un corte sesgado en la placa completa, se consigue una vela con forma cónica (ver la fotografía 3).

5 También es posible adornar la vela con formas para troquelar; por ejemplo, con una estrella en el extremo de la placa de panal. De este modo, se pueden crear adornos troquelados en toda la vela.

6 Para evitar que se desprenda el extremo de la placa de cera, volver a calentar el último trozo y después presionar bien encima con los dedos. A continuación, decorar las velas a gusto personal con rodajas de naranja, anís estrellado, clavos y otros materiales naturales. Para fijar los adornos utilizar, por ejemplo, chinchetas o clavos. Al encender las velas se recomienda tener en cuenta la advertencia de la página 117 (La luz de las velas).

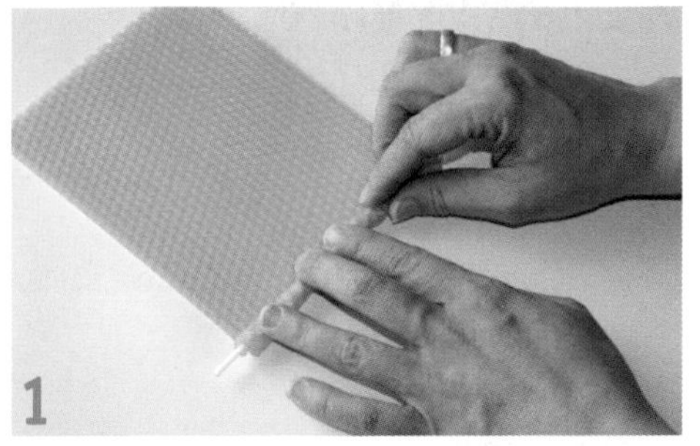
1

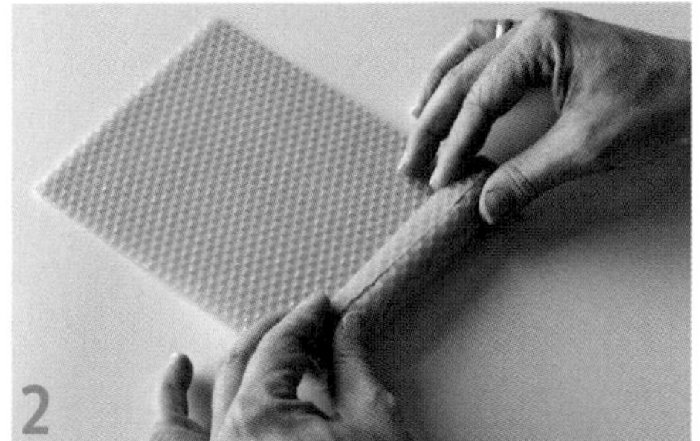
2

3

RECTIFICAR SUPERFICIES DE SOPORTE

Para que la vela enrollada presente una superficie de soporte recta y pueda mantenerse de pie con seguridad, sin necesidad de un candelabro o un portavelas, conviene rectificar el canto inferior después de enrollar la vela. Solo hay que cortar la cera sobrante con un cuchillo afilado.

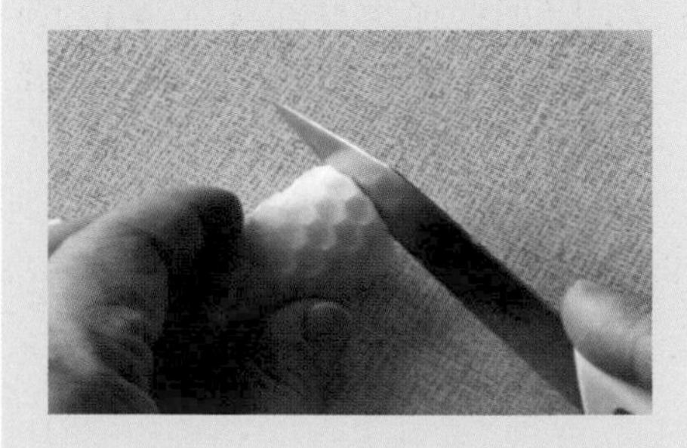

Estrellas de paja

TAMAÑO DEL GRUPO
1-5 personas

OCASIÓN
Navidades

TIEMPO REQUERIDO
60 minutos

TIEMPO DE PREPARACIÓN
10 minutos aprox.

PRESUPUESTO
8 euros aprox.

MATERIALES POR PERSONA
- Tallos de paja
- Recipiente con agua
- Molde para realizar estrellas
- Gomas elásticas
- Cordel
- Tijeras
- Cinta decorativa (opcional)

Instrucciones

Clásicos, pero no sobrecargados: las estrellas de paja representan unos adornos navideños con tradición. ¡Con la ayuda del molde se garantiza un buen resultado!

1 Dejar los tallos de paja unos 20 minutos en agua para que se vuelvan más flexibles. A continuación, cortar los tallos con la longitud deseada (en este caso, 11 cm). Colocar dos tallos en cruz sobre el molde, para la primera capa (ver la fotografía 1).

2 Después colocar encima la segunda capa: en este caso dos tallos dispuestos en cruz, a derecha e izquierda del primer tallo (ver la fotografía 2).

3 Colocar la tercera capa en el molde y asegurar el último tallo con una goma elástica. Así se fijan todos los tallos de paja (ver la fotografía 3).

4 Colocar el cordel primero sobre el tallo asegurado con la goma. Después continuar enrollando el cordel alrededor de cada tallo para fijarlo bien. Para ello, tejer dos vueltas por encima y por debajo de cada tallo, luego atar el cordel y cortarlo. Por último, colocar de nuevo la estrella en el molde y cortar los picos de modo uniforme, dando un corte sesgado (ver la fotografía 4).

Mezcla de materiales

Modelar con pasta de sal, realizar manualidades con fieltro o pintar porcelana; en este capítulo se ofrecen proyectos para entrenar la creatividad. A lo largo de todo el año se dan ocasiones muy apropiadas para realizar manualidades. Déjese inspirar por la variedad de materiales y experimente con nuevas técnicas creativas.

Cuadros con conchas sobre pasta de sal

TAMAÑO DEL GRUPO
1 persona

OCASIÓN
En cualquier ocasión

TIEMPO REQUERIDO
60 minutos + 60 minutos de horno aprox.

TIEMPO DE PREPARACIÓN
30 minutos aprox.

PRESUPUESTO
10 euros aprox.

PATRONES
Página 134

MATERIALES (PARA UN CUADRO)

- Pasta de sal
- Pintura acrílica de color blanco
- Cordón de color azul y blanco, de 3 mm Ø y 52 cm de largo
- Lápiz, papel transparente o papel de calco y cartón (para una plantilla)
- Cuchillo de cocina, horno, rodillo de amasar, pincho para brochetas y pincel

Instrucciones

La pasta de sal para manualidades es un material ideal: económico, rápido y se puede elaborar de forma artesanal con pocos ingredientes. Al amasar la pasta se activan los grupos de músculos y movimientos del antebrazo y de la zona de la mano. Se recomienda aplicar pintura después de hornear para perfeccionar las piezas y hacerlas más duraderas.

1 Realizar una plantilla de cartón del marco, con el círculo recortado en el centro.

2 Trabajar con el rodillo una lámina de pasta de sal de 5 mm de grosor. Luego recortar de ella un marco con un círculo interior hueco y otro marco completo, sin círculo hueco. Para que el círculo interior quede bien, se puede presionar un vaso boca abajo sobre la pasta de sal, retirar el vaso y quitar el círculo obtenido, desechándolo.

3 Espolvorear un poco de arena en el centro de la lámina sin círculo recortado y pasar el rodillo sin presionar demasiado. Humedecer los bordes exteriores, presionar el marco con círculo recortado sobre el marco completo y recortar los bordes. Fijar encima las conchas con una ligera presión.

4 Perforar ocho agujeros (de 4 mm Ø) en la pasta, según el patrón, con el pincho para brochetas, para colgar después el cuadro.

5 Hornear la pasta (ver la página 125), dejar enfriar y aplicar una capa de pintura acrílica blanca. Una vez seca, enfilar el cordón como se ve en la fotografía y anudar los extremos.

ORIENTACIÓN ESPACIAL

Este motivo se puede utilizar como letrero para las puertas si se añade el nombre del participante o el nombre de una habitación. En una residencia de ancianos estos cuadros pueden servir a las personas con limitaciones cognitivas para orientarse en el interior del edificio.

RECETA PARA LA PASTA DE SAL

Ingredientes:

- 2 tazas de harina de trigo
- 2 tazas de sal
- 2 tazas de agua
- 2 cucharadas soperas de engrudo en polvo para empapelar

Mezclar la sal, la harina y el engrudo en polvo, añadir agua y remover bien. Amasar todo hasta obtener una pasta lisa, procurando que la pasta quede bien modelada y no demasiado blanda, con una consistencia parecida a la plastilina. En caso necesario, según la consistencia, añadir más harina o más agua. Se recomienda guardar la pasta amasada en un recipiente herméticamente cerrado, y así se puede trabajar con ella durante varios días.

Cajas para los recuerdos

TAMAÑO DEL GRUPO
1-2 personas

OCASIÓN
En cualquier ocasión

TIEMPO REQUERIDO
60 minutos aprox.

TIEMPO DE PREPARACIÓN
10 minutos aprox.

PRESUPUESTO
10 euros aprox.

MATERIALES (PARA UNA CAJA)

- Caja de zapatos
- Retales de tela
- Cola para encuadernar o cola blanca
- 2 tiras de tela o cinta para regalo, de 6 x 90 cm
- Marquito metálico de color rosa
- 2 remaches de color naranja, de 4 mm Ø
- Pincel blando y tijeras

Instrucciones

¿Le sobran algunos retales de tela? Fantástico, con ellos puede convertir simples cajas de zapatos en vistosas cajas de regalo o en cajas para guardar cosas.

1 Medir la caja y cortar la tela con las medidas correspondientes. Cortar las piezas que corresponden a las paredes laterales, añadiéndoles 1-2 cm para doblar la tela hacia dentro y alrededor de las esquinas.

2 Impregnar la superficie de la caja con cola para encuadernar o cola blanca y presionar encima las piezas de tela: primero la base, después las piezas laterales cortas y por último, las piezas laterales largas, haciendo el doblez hacia este lado en las cuatro esquinas. Es recomendable estirar primero del centro hacia las esquinas para que la tela quede bien tensa; después tensar los lados. Procurar que, al estirar la tela, no se deforme el estampado.

3 Cortar cinco piezas para las caras interiores de la caja con las medidas exactas; después pegarlas en la caja. Forrar la tapa con la misma técnica descrita en los pasos 1 y 2.

4 Adornar la caja a gusto personal, con una cinta roja de regalo o fijando en la tapa un marquito metálico con unos remaches para insertar un rótulo.

ORDENAR RECUERDOS

El objetivo de las actividades ocupacionales reside en mantener activas las capacidades existentes durante el mayor tiempo posible. Cada persona recuerda cosas diferentes: una no olvida acontecimientos y personas, otra ninguno de los pasos aprendidos en la escuela de baile y otra más sigue recordando su antigua profesión. La caja de los recuerdos se propone para esto. El contenido que se guarda en su interior debe estar orientado a temas significativos en la vida de la persona afectada. Por ejemplo: ¿de dónde vengo? Este tema se documenta con fotografías de la casa paterna, planos de ciudades, postales con vistas, escudos de armas, etc.

Libro de recuerdos artesanal

TAMAÑO DEL GRUPO
1 persona

OCASIÓN
En cualquier ocasión

TIEMPO REQUERIDO
60 minutos

TIEMPO DE PREPARACIÓN
15 minutos aprox.

PRESUPUESTO
10 euros aprox.

MATERIALES
- Libro de notas con cordón de cierre
- Tela de terciopelo (con 5 cm más de contorno que el libro abierto)
- Cordón de satén dorado
- Cinta adhesiva de doble cara
- Tijeras

Instrucciones

Un viejo libro de notas, un libro de cocina escrito por uno mismo, la novela favorita con anotaciones: todos tenemos libros personales valiosos. Tal vez la persona mayor desee dar a sus tesoros un nuevo realce.

1 Cortar con exactitud la tela de terciopelo con 5 cm más de contorno que el libro abierto. Doblar la tela por la mitad, por el lado más corto, y hacer dos pequeñas incisiones en los extremos de la línea de doblez. De este modo queda marcado el centro, donde irá situado el lomo del libro. Para mayor seguridad, se puede marcar la línea del lomo por el interior de la tela de terciopelo con jaboncillo de sastre. Recubrir de cinta adhesiva de doble cara el lomo y las dos tapas del libro, solo por fuera, procurando no solapar la cinta adhesiva. Colocar el libro cerrado sobre la tela de terciopelo desplegada y por el interior de esta, centrado y haciendo que el lomo del libro coincida con la línea marcada en el terciopelo. Ya tenemos pegada la contracubierta del libro. Después, despacio y con cuidado, llevar la tela de terciopelo hacia el lomo y la cubierta, manteniendo el libro cerrado. Si se hace con el libro abierto, el terciopelo tiraría y el libro no podría luego cerrarse. Ir estirando bien la tela para que no se formen pliegues.

2 Una vez pegado el terciopelo a las tapas del libro, pegar alrededor del marco interior de las tapas cinta adhesiva de doble cara, doblar hacia dentro el terciopelo que se ha dejado para remeter los bordes y pegarlo a la otra cara de la cinta. El procedimiento es el mismo que si se forra un libro con papel.

3 Para que no se vea la zona de terciopelo pegado por el interior de las tapas del libro, se pueden pegar las guardas de este al interior de las tapas extendiendo con una brocha cola blanca algo diluida en agua. La cola se extiende sobre la guarda sin llegar a los bordes de esta y luego se deja caer sobre ella la tapa del libro. Poner un peso encima para que guarda y tapa queden bien pegadas. Dejar secar.

4 Por último, se puede cerrar el libro anudando alrededor dos cordones de satén, como se ve en la fotografía.

Cuadro con collage

TAMAÑO DEL GRUPO
1-4 personas

OCASIÓN
De primavera a otoño

TIEMPO REQUERIDO
Proyecto completo para realizar a lo largo de varios días

TIEMPO DE PREPARACIÓN
90 minutos aprox., incluido el paseo por el bosque

PRESUPUESTO
25-40 euros aprox. (según el material utilizado)

MATERIALES POR PERSONA
- Para confeccionar el lienzo:
  - Tela de lienzo de 180 x 120 cm
  - 4 listones de madera de 3 cm de grosor aprox., 2 de 110 cm y 2 de 170 cm
  - Grapadora de tapicero
- O lienzo comprado
- Pintura para paredes de color beige o azul claro y rodillo de pintor
- Telas de color marrón y de diferentes tonos de verde
- Pintura acrílica, pincel y tijeras
- Pistola de pegamento caliente o pegamento textil
- Rotulador de color negro o jaboncillo de sastre de color blanco
- Materiales naturales, como hojas, ramas gruesas y finas, piñas pequeñas, cortezas de árbol, musgo

Instrucciones

La pintura acrílica, así como todas las pastas y geles con una base acrílica, presenta una alta fuerza adherente. Por ello es muy adecuada para empastar un lienzo. Después, los participantes pueden colocar encima hojas, ramas y otros materiales recolectados, diseñando con ellos un árbol multicolor.

1 Si se desea construir el bastidor, unir los listones de madera encolándolos o grapándolos en las esquinas por la parte posterior. Después, y también con la grapadora, sujetar la tela al bastidor poniendo una grapa en el centro de cada listón y siguiendo luego hacia los extremos de los listones, tensando bien el lienzo pero sin deformarlo.

Otra opción es comprar un bastidor ya hecho de 110 x 170 cm y graparle la tela de lienzo como se ha explicado, o comprar el bastidor con el lienzo incorporado.

2 Colocar el lienzo sobre una base fija y lisa, como una mesa grande, para que todos los participantes tengan acceso a él y puedan verlo desde todos los lados. Aplicar sobre el lienzo una capa de pintura para paredes para dar estabilidad a la tela. Dejar que la pintura se seque bien.

3 A continuación, bosquejar un árbol sobre el lienzo con un rotulador negro o jaboncillo de sastre. Primero modelar el tronco del árbol con la tela marrón y los materiales naturales.

Aquí no hay límite para la fantasía de los participantes. Después, realizar la copa del árbol utilizando las telas verdes. Desgarrar o cortar las telas en trozos pequeños para modelar un árbol de modo personalizado. Fijar ramitas y hojas, previamente prensadas, sobre la tela de la copa del árbol, como cada uno prefiera.

4 Adicionalmente pueden añadirse al collage fotografías con objetos, lugares o los nombres de las personas mayores. Así el cuadro adquiere un toque más personal.

ACTIVACIÓN

También es posible realizar collages en pequeños formatos, por ejemplo, de tamaño postal. Al utilizar fotografías de los participantes, es posible crear diálogo con todos o con algunos de ellos y, de este modo, trabajar el área de la activación y el trabajo con la biografía.

Posibles preguntas a realizar:

¿Le ha sido fácil participar en la actividad?

¿Qué recuerdos despierta este árbol en usted?

¿Qué le provocan los materiales de la naturaleza?

¿Antes solía dar paseos por la naturaleza?

¿Qué le gustaba hacer en el tiempo libre?

Liebres realizadas con filtros de café

TAMAÑO DEL GRUPO
1-5 personas

OCASIÓN
Pascua

TIEMPO REQUERIDO
30 minutos

TIEMPO DE PREPARACIÓN
5 minutos aprox.

PRESUPUESTO
3 euros aprox.

MATERIALES (PARA UNA LIEBRE)
- Bola de porexpán blanca con forma de huevo
- Pintura acrílica de color amarillo, fucsia, violeta, verde o azul
- Esencia de vinagre
- Vaso, de 8 cm Ø aprox.
- Filtros blancos para café, de 10 x 15 cm
- Rollo de cartón de papel higiénico
- Fibras de escoba, de 8 cm de largo aprox.
- Plastilina de color fucsia, naranja o verde, de 8 x 8 mm, y etiquetas adhesivas de color blanco, de 8 mm Ø
- Acuarelas, pincel y rotulador de color negro
- Pegamento

Instrucciones

¿Necesita una decoración para la mesa de Pascua? Perfecto, con estas liebres la decoración quedará estupenda.

1 Preparar la pintura para colorear los huevos de porexpán según las instrucciones del fabricante y colorearlos.

2 Dibujar a mano alzada las orejas de las liebres sobre un filtro blanco para café y recortarlas.

3 Realizar la cabeza de la liebre con el huevo de porexpán: pegar primero las orejas en la parte posterior de la cabeza. Luego fijar en el huevo las fibras de escoba, un poco de plastilina para la nariz y las etiquetas adhesivas para los ojos. Pintar las pupilas con el rotulador negro.

4 Teñir los filtros para café con acuarelas, dejar secar y luego insertar cada uno de ellos en un rollo de cartón y doblar el sobrante que hay dentro. Para terminar, colocar encima la cabeza de la liebre.

Un práctico tablón de notas

TAMAÑO DEL GRUPO
1-2 personas

OCASIÓN
En cualquier ocasión

TIEMPO REQUERIDO
90 minutos

TIEMPO DE PREPARACIÓN
20 minutos aprox.

PRESUPUESTO
15-25 euros aprox.

MATERIALES POR PERSONA

- Tablón para notas de corcho y marco de madera, de 39 x 29 cm
- Cartulina (restos), papel estampado con mariposas
- Pistilos para flores de papel
- Cinta decorativa, 2 trozos de 36 cm de largo, y almohadillas adhesivas en 3D
- Cinta decorativa autoadhesiva de margaritas, de 36 cm de largo y restos
- 16 piedras de strass semiesféricas, de 4 mm Ø
- Pintura acrílica, barniz mate (opcional) y pincel

Instrucciones

Este práctico tablón de notas ayuda a las personas mayores en la planificación de la semana y estructura las actividades de su día a día. La decoración se puede adaptar del tablón a los intereses y gustos de los participantes. ¡Además, es muy rápido de realizar!

1 Aplicar una capa de pintura acrílica sobre el marco del tablón y dejar secar. Quien lo desee, puede aplicar encima una capa de barniz mate para proteger el marco de raspaduras.

2 Recortar las mariposas del papel estampado y pegarlas después sobre cartulina estable. Recortar el contorno de la mariposa de cartulina, dejando un margen de 5 mm alrededor; en la cabeza de la mariposa, la cartulina se recorta hasta el motivo. Fijar los pistilos para flores de papel en el reverso para dar forma a las antenas de la mariposa.

3 Fijar la cinta autoadhesiva y las cintas decorativas sobre la superficie de corcho del tablón. Procurar dejar la misma distancia entre una cinta y otra.

4 Adornar el marco del tablón con piedras de strass y margaritas de la cinta decorativa autoadhesiva. Quien lo desee, puede utilizar el resto de la cinta autoadhesiva para otras aplicaciones. Fijar las mariposas en el tablón por medio de almohadillas adhesivas, así quedan flexibles.

ACTIVACIÓN

Un programa diario estructurado da seguridad y orientación en la vida cotidiana a las personas con limitaciones cognitivas. Las actividades deben estar orientadas partiendo de la biografía y de las capacidades de las personas enfermas. Por ello, el programa diario tiene que adaptarse de modo personalizado. Es importante que cada día y que la semana completa revelen una estructura en su totalidad. Esto es comparable a las rutinas de la infancia.

Vajilla con diseño personalizado

TAMAÑO DEL GRUPO
1-8 personas

OCASIÓN
En cualquier ocasión

TIEMPO REQUERIDO
20-30 minutos + 30 minutos de horno

TIEMPO DE PREPARACIÓN
5 minutos aprox.

PRESUPUESTO
5 euros aprox.

MATERIALES POR PERSONA

- Piezas de vajilla, lámina para decorar porcelana de diferentes colores
- Lápiz, papel transparente o papel de calco y cartón (para una plantilla)
- Cuenco con agua
- Papel de cocina
- Horno y tijeras

Instrucciones

Decorar porcelana de forma personalizada utilizando una lámina especial para ello, es sencillo y se logra un gran efecto. La lámina se coloca sobre la porcelana y se endurece en el horno para que después no se desprenda al lavar la vajilla.

1 Los participantes pueden realizar los diseños libremente. Esto resulta muy fácil con formas básicas como la línea y el círculo. Transferir los motivos con ayuda de una plantilla o dibujarlos sobre el reverso de la lámina y recortar.

2 Sumergir la lámina en agua unos 30 segundos. Con el agua se desprenderá el papel protector de la lámina y esta se podrá colocar sobre la vajilla. Alisar el motivo, desde dentro hacia fuera, con los dedos y papel de cocina. No debe quedar nada de líquido debajo de la lámina.

3 Dejar secar la vajilla durante 24 horas. Después, hornear la vajilla decorada a 180 °C (con calor por arriba y por abajo) durante 30 minutos. Dejar enfriar la vajilla dentro del horno y ya está lista para usar.

FIJAR LETRAS

Si se desea fijar letras, por ejemplo las de un nombre, se utilizan letras ya prefabricadas para decorar porcelana, disponibles en los comercios especializados. Recortar la lámina transparente en forma rectangular, casi al ras del contorno de las letras.

FACILITAR EL CORTE

Los motivos redondos, como los que se ven en esta vajilla, se pueden perforar con un troquelador.

ADAPTAR DE FORMA PERSONALIZADA

Según las capacidades motrices de los participantes, decida el tamaño de la pieza de vajilla y del motivo para que la persona mayor pueda verlo bien y le resulte fácil fijar el diseño.

Velas con arena especial

TAMAÑO DEL GRUPO
1 persona

OCASIÓN
En cualquier ocasión

TIEMPO REQUERIDO
10 minutos

TIEMPO DE PREPARACIÓN
5 minutos aprox.

PRESUPUESTO
10-15 euros aprox.

MATERIALES
- Arena especial para velas, de color azul, violeta y rosa
- 2 recipientes de cristal, de 8 x 8 x 8 cm
- 2 mechas para velas, de hasta 3 mm Ø y 8 cm de largo
- Pincho para brochetas
- Cucharilla

Instrucciones

Ideal para cualquier momento: velas realizadas con arena especial. Se consiguen efectos fantásticos mezclando arena de diferentes colores.

1 Colocar la mecha en vertical en el centro del recipiente de cristal. Para que se mantenga erguida, sujetarla con una pinza para ropa cuyos extremos se apoyen en el recipiente.

2 Rellenar un recipiente de cristal con arena especial para velas, ayudándose de una cucharilla.

3 Se pueden espolvorear varias capas de colores diferentes, como en el caso de la vela con arena rosa y violeta.

4 Con la vela azul se ha utilizado otro método: primero se ha rellenado el recipiente con arena de color azul, después se ha añadido un poco de arena violeta y se ha removido con el pincho para brochetas, moviendo este desde el borde del recipiente hacia el centro para que los colores se mezclen entre sí. Repetir esta técnica con varias capas hasta rellenar el recipiente.

LA LUZ DE LAS VELAS

Si los participantes presentan alteraciones de percepción, hay que tener mucho cuidado y no dejarles solos en una habitación con las velas encendidas.

LA MECHA ADECUADA

Regla general: cuanto más gruesa sea la mecha, mayor será la llama y, por tanto, más calentará la arena. Si se desea que la vela se consuma completamente, se recomienda utilizar una mecha gruesa. Pero si se quiere que el borde exterior de la vela permanezca intacto, es mejor utilizar una mecha fina.

Posavasos de fieltro

TAMAÑO DEL GRUPO
1-8 personas

OCASIÓN
En cualquier ocasión

TIEMPO REQUERIDO
20 minutos

TIEMPO DE PREPARACIÓN
5 minutos aprox.

PRESUPUESTO
5-8 euros aprox.

PATRONES
Página 129

MATERIALES (PARA UN POSAVASOS)
- Fieltro textil de color amarillo, de 4 mm de grosor y 10 x 10 cm
- Cuentas de rocalla de color naranja, de 2 mm Ø, y cuentas transparentes, de 1,5 mm Ø
- Aguja, hilo y tijeras
- Lápiz, papel transparente o papel de calco y cartón (para una plantilla)

Instrucciones

Estos pequeños posavasos brillantes embellecen una velada entre amigos y además, son unos "atrapagotas" muy prácticos. Las estrellas de fieltro se recortan muy fácilmente con unas tijeras bien afiladas.

1 Recortar el posavasos siguiendo el patrón.

2 Coser una cuenta de rocalla de color naranja en cada pico.

3 Coser en los picos de la estrella otras seis cuentas de rocalla transparentes, a unos 2 mm de distancia del borde: tres cuentas por cada lado del pico.

Portavelas multicolor

TAMAÑO DEL GRUPO
1-5 personas

OCASIÓN
En cualquier ocasión

TIEMPO REQUERIDO
30 minutos

TIEMPO DE PREPARACIÓN
5 minutos aprox.

PRESUPUESTO
5 euros aprox.

MATERIALES POR PERSONA
- Maceta de barro cocido, de 8 cm Ø
- Fieltro de diferentes colores, restos
- Vela
- Pistola de pegamento caliente o pegamento fuerte
- Tijeras

Instrucciones

Este proyecto es multicolor y creativo. Lo más bonito es que cualquier maceta adquiere un aspecto totalmente diferente, único y personalizado.

1 Cortar pequeños trozos de fieltro con las tijeras, como se ve en la fotografía.

2 Fijar los trozos de fieltro sobre la maceta con la pistola de pegamento caliente o con pegamento fuerte.

3 Insertar una vela adecuada dentro de la maceta.

UTILIZAR PAPEL EN VEZ DE FIELTRO
Se puede dejar a los participantes que recorten sus motivos preferidos de revistas, en vez de utilizar fieltro. Así cada persona puede contar además su propia historia.

Colgantes decorativos

TAMAÑO DEL GRUPO
1-4 personas

OCASIÓN
Verano

TIEMPO REQUERIDO
60 minutos

TIEMPO DE PREPARACIÓN
20 minutos aprox.

PRESUPUESTO
10-12 euros aprox.

MATERIALES POR PERSONA

COLGANTE CON PECES
- 3 peces de concha, de color turquesa y nácar
- Cordón para bisutería de color blanco crema, de 1 mm Ø y 10 m de largo
- 3 bolas de sarmientos de color blanco crema, de 3 cm Ø
- 7 trozos de madera porosa, de 8-12 cm de largo
- 14 cuentas glaseadas Renaissance, de 8 mm Ø
- Alambre lacado de color marrón, de 0,35 mm Ø y 80 cm de largo
- Taladro con broca de 3 mm Ø

COLGANTE CON CONCHAS
- 2 bolas de sarmientos de color turquesa, de 3 cm Ø
- Bola de sarmientos de color turquesa, de 4,5 cm Ø
- 4 trozos de madera porosa, de 8-12 cm de largo
- 5 bolas Ming de color turquesa, de 2 cm Ø
- 9 cuentas glaseadas Renaissance, de 8 mm Ø
- 3 conchas de diferentes formas, de 4-5 cm de largo aprox.
- Tallos de enredadera
- Alambre lacado de color marrón, de 0,35 mm Ø y 1 m de largo
- Taladro con broca, de 1 y 3 mm Ø

Instrucciones

¡La decoración con temas marítimos resulta muy atractiva en la época más cálida del año! Por ello, como por arte de magia, llene de una fresca brisa marina las cuatro paredes de su cuarto añadiendo estos nuevos adornos.

1 Perforar las piezas de madera con la broca más fina y las conchas con la más gruesa. Realizar una pequeña corona con los tallos de enredadera.

2 Trabajar una borla: cortar un trozo de 10 cm de cordón de bisutería. Enrollar el resto del cordón alrededor de la palma extendida y desprenderlo con cuidado de la mano. Luego atar 1,5 cm por arriba el ovillo obtenido y cortarlo por abajo (ver las fotografías en detalle, en la página de la derecha).

3 El enfilado se realiza desde abajo hacia arriba. Fijar la borla o la concha en el alambre. A continuación, enfilar de forma alterna las cuentas, las bolas de sarmientos, los peces, los trozos de madera, etc. Las fotografías pueden servir de orientación.

Enrollar el cordón alrededor de la palma de la mano extendida y luego desprenderlo con cuidado.

Atar el ovillo por un extremo y cortarlo por el otro extremo.

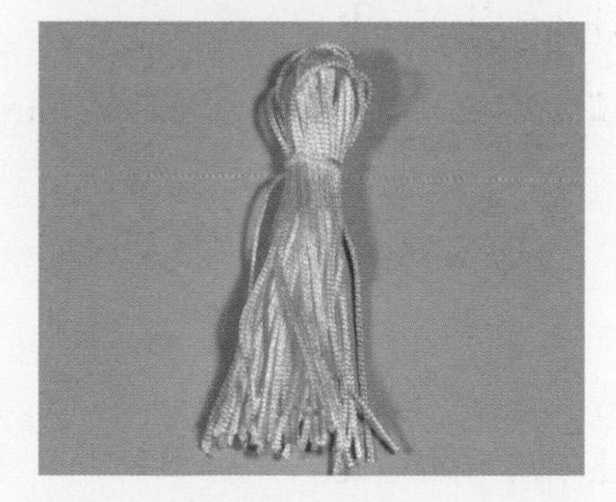

Así queda la borla terminada.

Saludos desde el campo veraniego

TAMAÑO DEL GRUPO
1-6 personas

OCASIÓN
Verano

TIEMPO REQUERIDO
50 minutos

TIEMPO DE PREPARACIÓN
15 minutos aprox.

PRESUPUESTO
5 euros aprox.

PATRONES
Página 129

MATERIALES

GUIRNALDA DE FLORES
- Escobillones: amarillo, rojo, azul claro, lila y verde
- 3 cuentas de madera verdes, de 1 cm Ø y aguja de zurcir
- Hilo mercerizado verde y palito redondo de madera, de 2,2 cm Ø

COLGANTE CON MARIPOSA
- Escobillones: marrón y amarillo o blanco
- Cuentas de madera: 2 rosas y 2 fucsias, o 2 blancas y 2 azules, de 1 cm Ø; 1 fucsia o azul, de 8 mm Ø
- Cuenta de madera natural, de 1,5 cm Ø
- Cascabel de latón, de 1 cm Ø
- Hilo mercerizado, de 50 cm de largo aprox.

PINZA DE MARIPOSA
- Escobillones: negro, rosa y rojo, o verde claro y verde oscuro
- Pinzas de madera

Instrucciones

Los escobillones, además de ser fáciles de curvar, estimulan en gran medida los sentidos del tacto y de la vista gracias a su revestimiento suave y su vivo colorido.

Flores

Para realizar los pétalos, enrollar el escobillón cinco veces en un palito redondo (cinco lazadas). Retirar el palito y retorcer las lazadas por la base, modelando después los pétalos. Proceder del mismo modo con las hojas verdes, pero realizando solo dos lazadas. Para el centro de la flor, enrollar un círculo de unos 3 cm Ø y pegarlo sobre ella. Ensartar de forma alterna las cuentas, las hojas verdes y las flores en el hilo mercerizado, fijando todo con nudos.

Colgante con mariposa

Enfilar el cascabel y las cuentas en el hilo mercerizado, como se ve en la fotografía. Realizar las alas siguiendo el patrón y fijarlas en el hilo por encima de la última cuenta. Después enfilar encima la cuenta más grande para la cabeza. Cortar dos trozos del escobillón marrón, enrollar un poco el extremo de cada uno de los trozos y quitar algunos pelillos al resto, para formar las antenas. Impregnar con un poco de pegamento los extremos no enrollados e insertarlos dentro de la cuenta de la cabeza.

Pinza de mariposa

Doblar por la mitad el escobillón negro y colocarlo sobre la pinza de la ropa. Retorcer los extremos entre sí por encima de la pinza. Quitar los pelillos a los extremos del escobillón y dar forma a las antenas. Curvar las alas con ayuda del patrón, utilizando un trozo de escobillón de 30 cm de largo y otro trozo de 21 cm. Retorcer los extremos entre sí. Por último, montar la mariposa y pegarla sobre la pinza de madera.

Colgantes con galletas

TAMAÑO DEL GRUPO
1 persona

OCASIÓN
Navidad

TIEMPO REQUERIDO
60 minutos + 60 minutos de horno aprox.

TIEMPO DE PREPARACIÓN
30 minutos aprox.

PRESUPUESTO
8 euros aprox.

PATRONES
Página 135

MATERIALES
- Pasta de sal (receta en la página 103)
- Pintura con relieve de color blanco y pintura acrílica marrón
- Grageas, perlas de azúcar y almendras
- Cinta de chiffon, de 5 mm de ancho y 1,5 m de largo
- Lápiz, papel transparente o papel de calco y cartón (para plantillas)
- Moldes para troquelar motivos navideños, cuchillo de cocina, rodillo de amasar, pincho para brochetas, pincel, horno y barniz en spray

Instrucciones

Estos colgantes se recortan de pasta de sal o se troquelan como las galletas. ¡Una actividad creativa y divertida! Y si no es época navideña, pero sí Pascua, se pueden troquelar huevos o flores y adornar con ellos la corona de Pascua.

1 Realice usted la pasta de sal para los participantes (ver la receta en la página 103) y las plantillas.

2 Amasar con el rodillo una lámina de pasta de sal con un grosor de 7 mm. Podemos ayudarnos colocando dos listones de madera contrapuestos y un poco más bajos que la masa de pasta y pasar los extremos del rodillo sobre ellos; de este modo nos aseguramos de que la pasta quede igualada. Recortar los hombrecillos con ayuda del patrón, troquelar las galletas o recortarlas según el patrón. Utilizar un pincho para brochetas para perforar agujeros en las figuras para colgarlas después.

3 Hornear las figuras, dejar que se enfríen y pintarlas de color marrón. Realizar los adornos con la pintura con relieve, según la fotografía y el patrón. Después presionar las perlas de azúcar, las almendras y las grageas de azúcar sobre la pintura blanca con relieve cuando ya esté un poco seca.

4 Dejar secar por completo y luego aplicar el barniz en spray. Colgar cada motivo con una cinta de chiffon de 15 cm.

HORNEAR GALLETAS CON PASTA DE SAL

El tiempo de horneado depende del grosor de la pasta de sal. Empezar con una temperatura de 50 °C y la puerta del horno abierta, para que la humedad se escape. Después de 1 hora, más o menos, se puede subir la temperatura. No hornear nunca la pasta de sal por encima de los 120 °C (aire caliente), pues en este caso se pueden curvar superficies amplias o formarse burbujas de aire. Para comprobar si la figura de pasta de sal está bien horneada, pincharla por la parte posterior con una aguja.

Patrones

Gaviotas blancas de cartulina

PÁGINAS 28-29

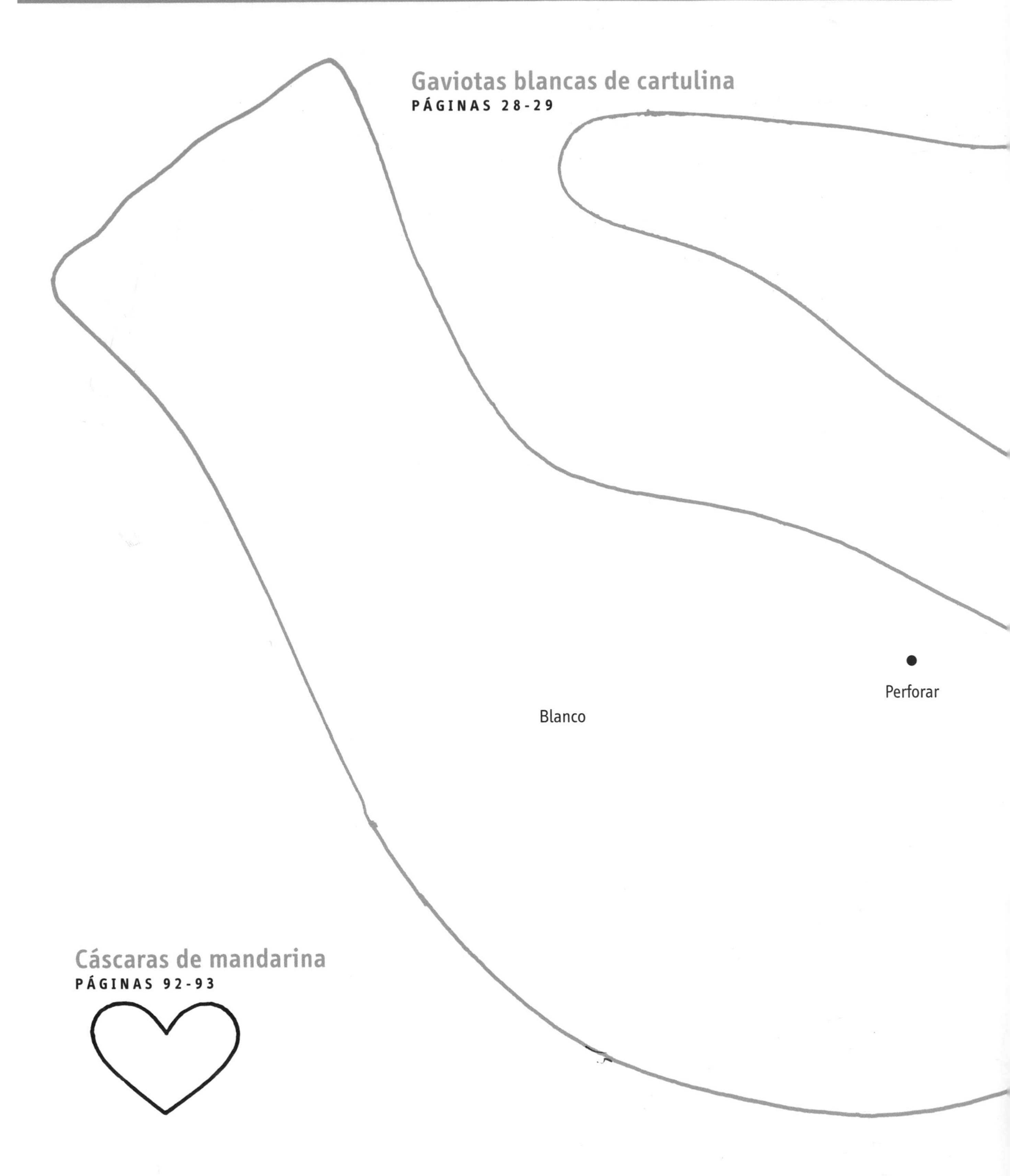

Cáscaras de mandarina

PÁGINAS 92-93

Marcapáginas
PÁGINAS 86-87

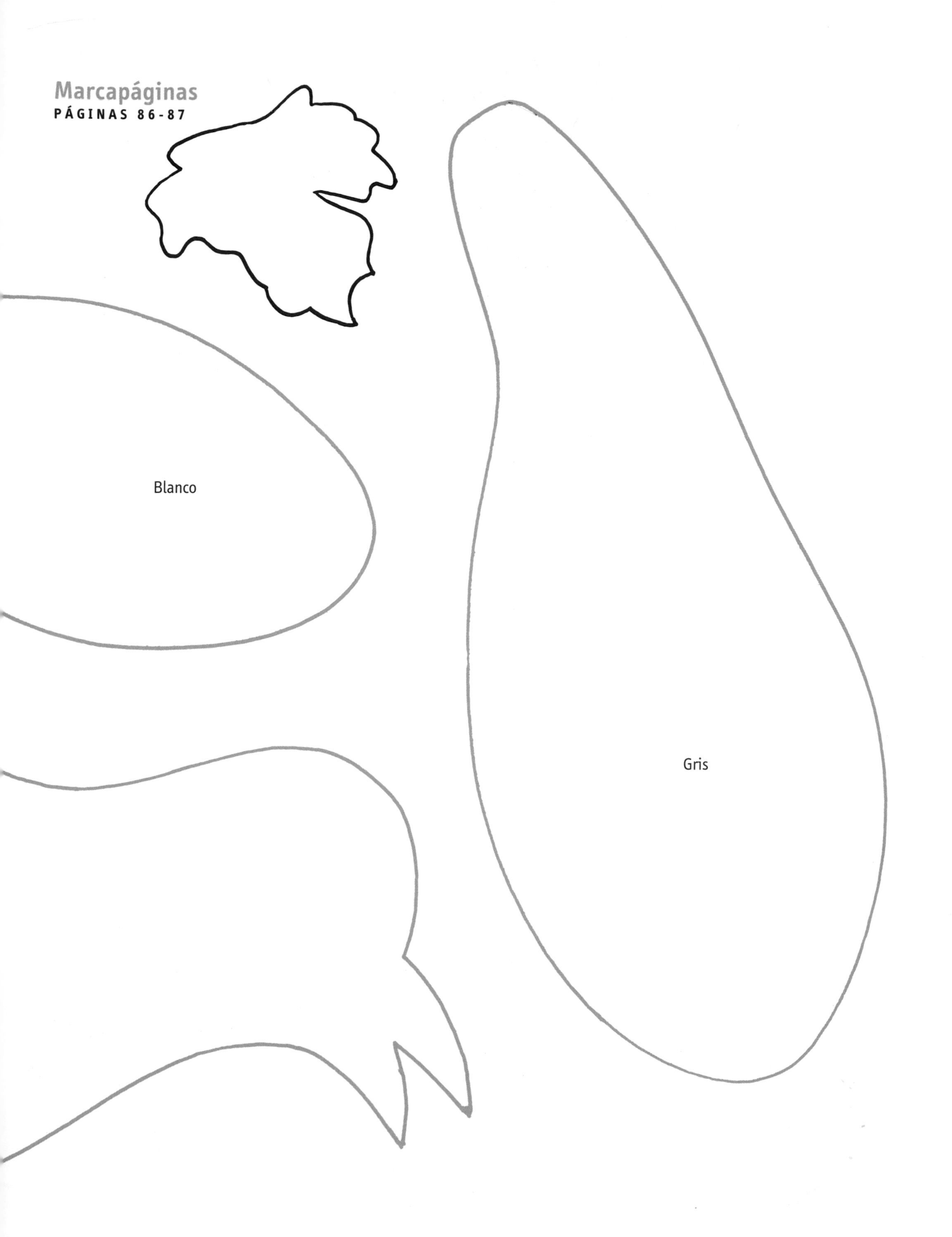

Estrellas y abetos
PÁGINAS 40-41

Tarjetas de mesa para la Pascua
PÁGINAS 24-25

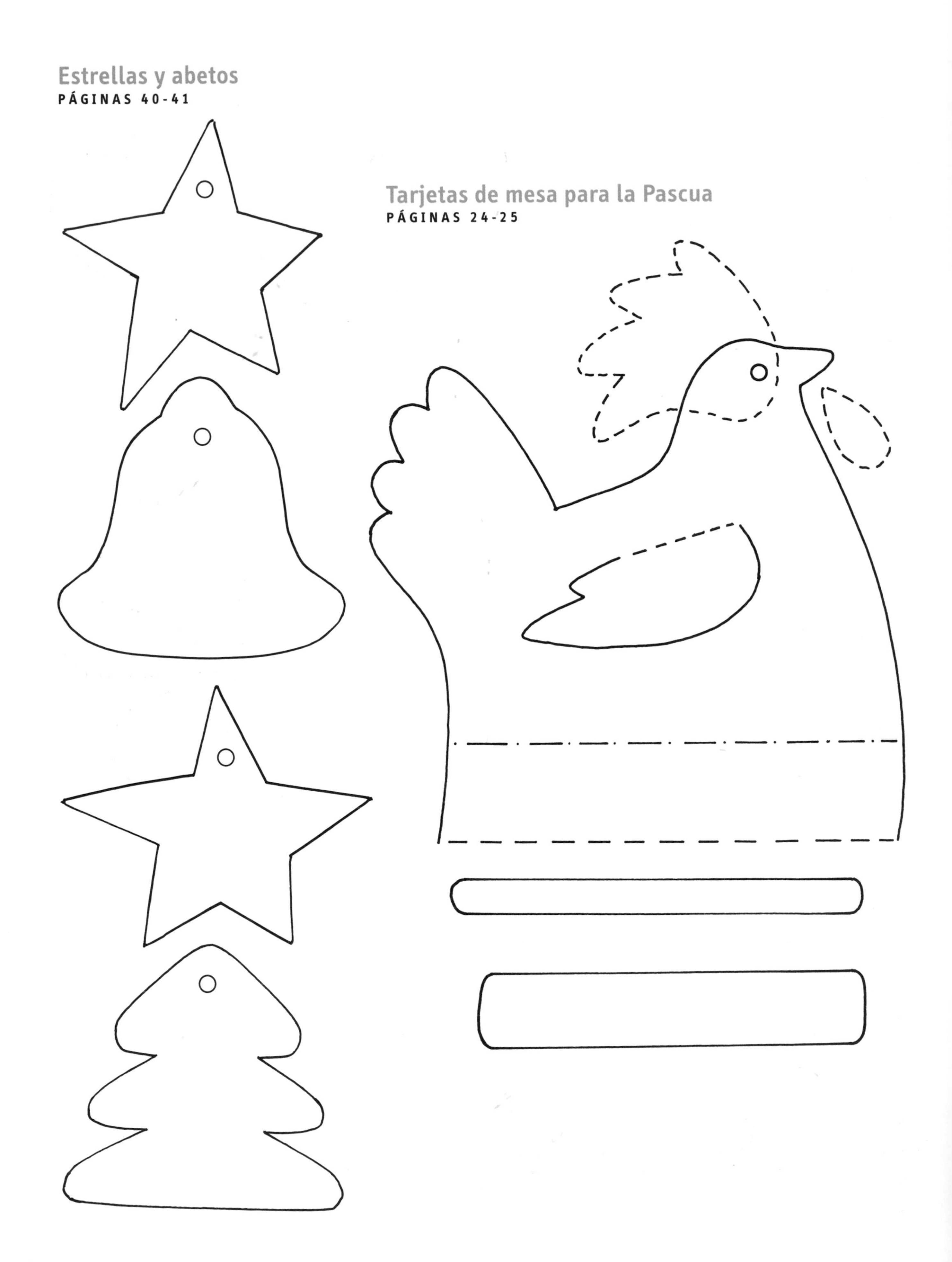

Decoración floral para la ventana

PÁGINAS 26-27

Saludos desde el campo veraniego

PÁGINAS 122-123

Posavasos de fieltro

PÁGINA 118

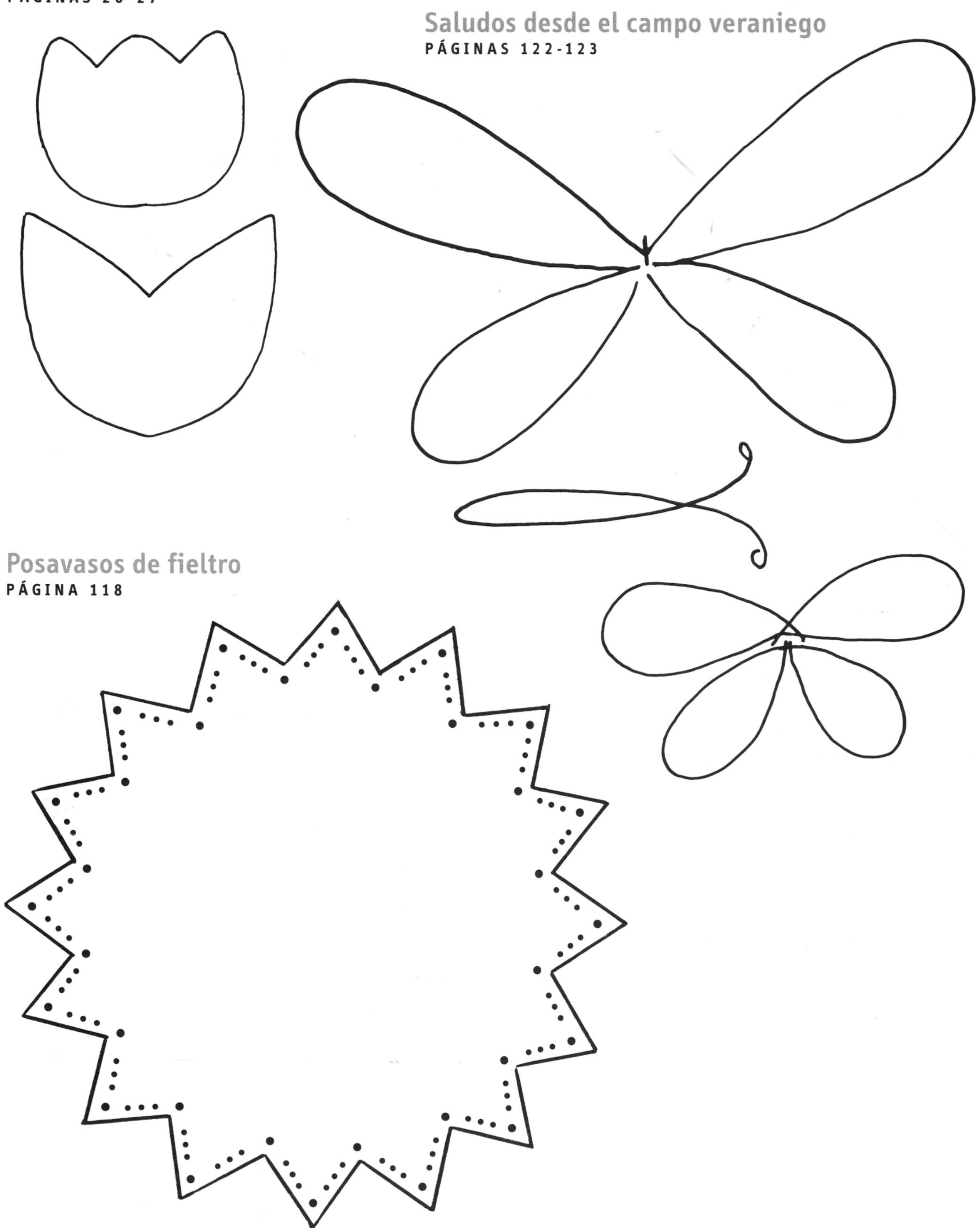

Tarjetas con estrellas y abetos

PÁGINAS 42-43

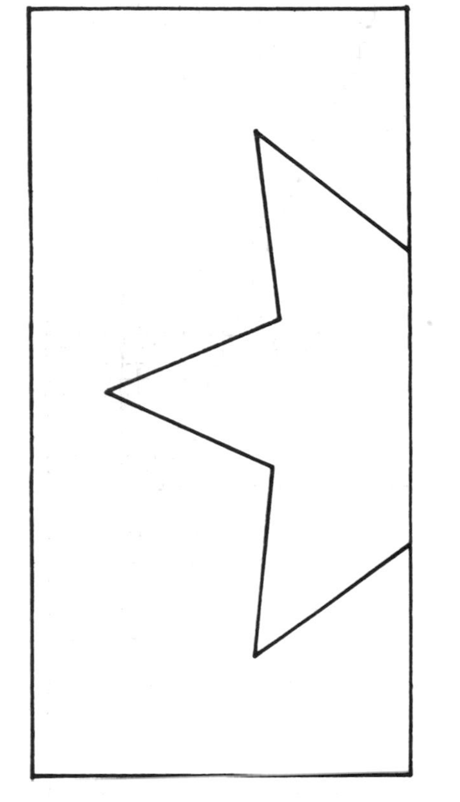

Huevos de Pascua con salpicaduras de color

PÁGINAS 76-77

Cuadro bordado

PÁGINAS 64-65

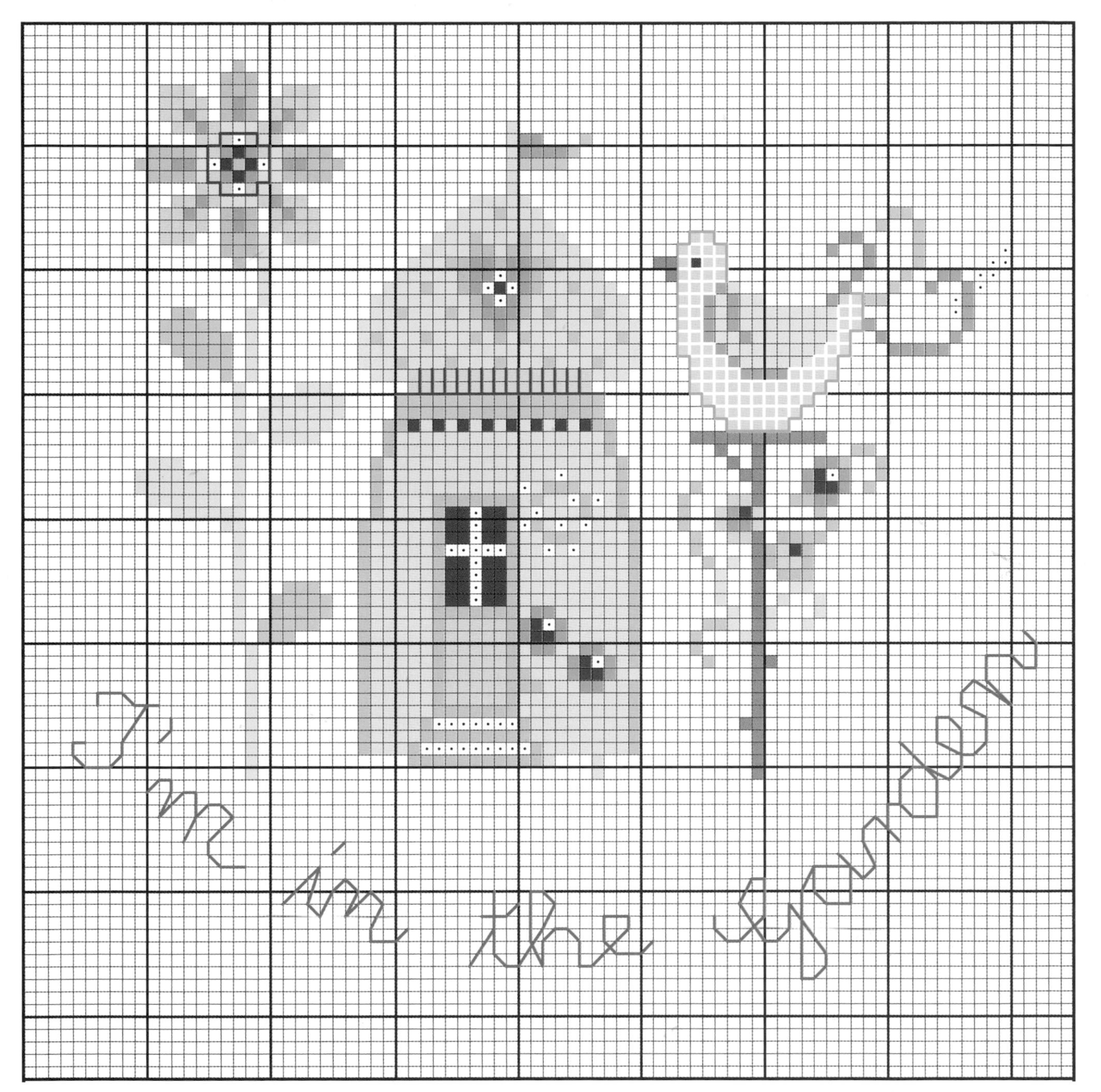

Base de asiento de fieltro textil

PÁGINAS 56-57

Gnomos del bosque

PÁGINAS 82-83

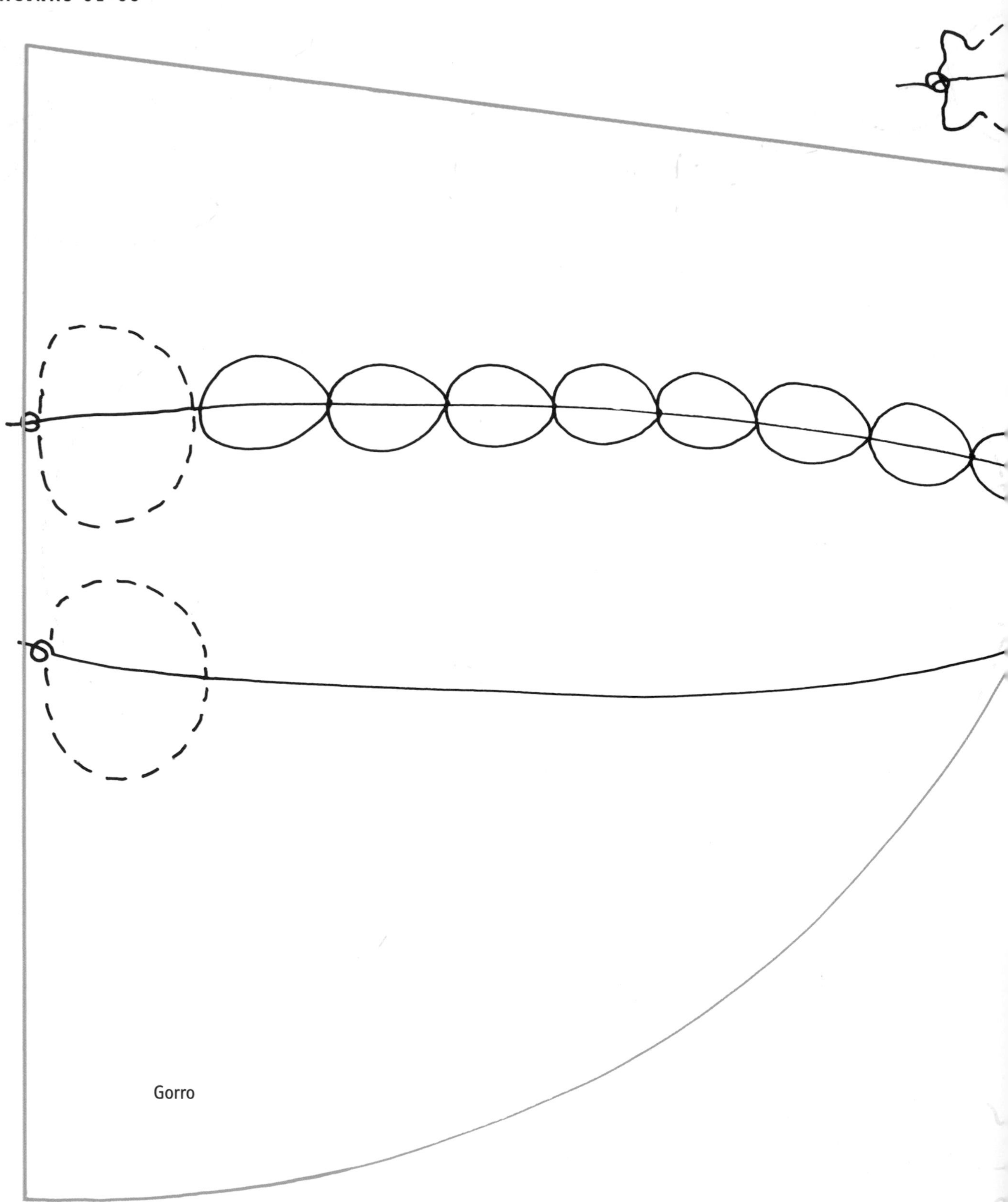

Guirnaldas con estrellas y ángeles

PÁGINAS 44-45

Cuadros con conchas sobre pasta de sal
PÁGINAS 102-103

Cuadro con hilos tensados
PÁGINAS 58-59

Tarjetas con rosas y Cuadro con hilos tensados
PÁGINAS 78-79 **PÁGINAS 58-59**

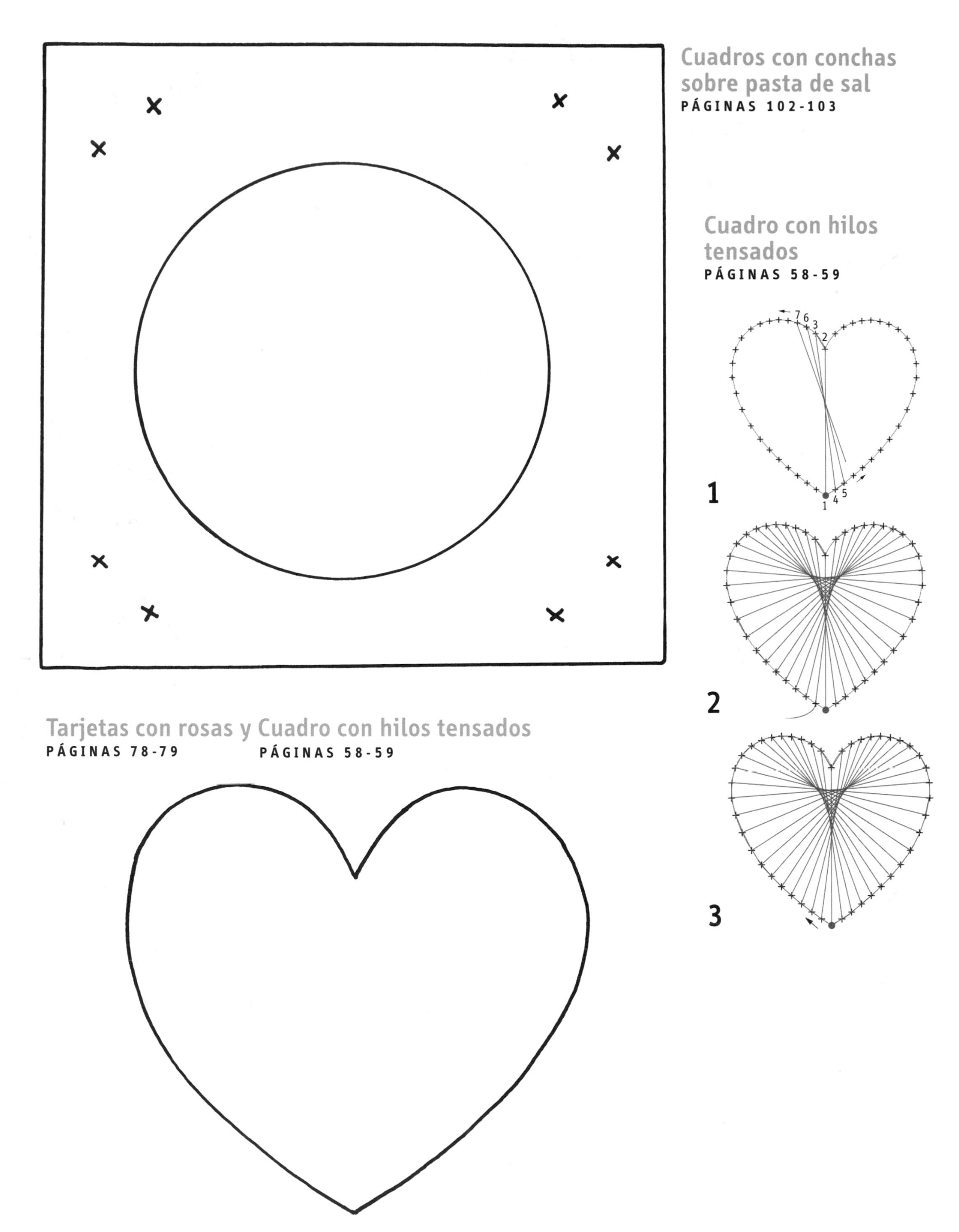

Colgantes con galletas

PÁGINAS 124-125

Juego de memoria

PÁGINAS 16-17

Portavelas con flores

PÁGINAS 34-35

Consejos

Activación de las personas mayores

Los cuidadores de personas mayores, además de atender a los afectados, han de trabajar también la activación. Mediante la activación se influye de forma óptima en el bienestar y en el estado físico y psíquico. Esto se puede conseguir, por ejemplo, a través de actividades cotidianas:

- Pintar y realizar manualidades.
- Trabajos artesanales y trabajos no pesados en el jardín.
- Alimentar y cuidar animales domésticos.
- Cocinar y hacer pasteles.
- Realizar álbumes o carpetas de recuerdos.
- Escuchar música, tocar piezas musicales o cantar.
- Juegos de tablero y de cartas.
- Realizar paseos y excursiones.
- Ejercicios motrices y bailes en grupo.
- Visita a instalaciones culturales, deportivas, servicios religiosos y cementerios.
- Leer.
- Ver álbumes de fotografías.
- Conversar.

Diez señales de advertencia de limitaciones perceptibles exteriormente en una persona: ¡se recomienda acudir a un médico!

1. Disminución de la memoria.
2. Dificultades en acciones habituales.
3. Problemas de habla y alteraciones para encontrar palabras.
4. Problemas de orientación espacial y temporal.
5. Capacidad de discernimiento limitada y comportamiento inadecuado.
6. Dificultades con el pensamiento abstracto.
7. Olvidar dónde se dejan los objetos.
8. Fluctuación del estado de ánimo y el comportamiento.
9. Cambios de personalidad.
10. Pérdida de iniciativa propia.

¿Por qué es tan importante una verificación temprana de las limitaciones cognitivas?

Si se observan varias de las señales tempranas descritas, es importante determinar lo antes posible si se trata de alguna limitación cognitiva:

- Con ello aumenta la oportunidad de utilizar las diferentes posibilidades de tratamiento.
- Se eliminan la inseguridad y los miedos.
- Se dispone de más tiempo para planificar el futuro.
- Dentro de lo posible, se puede mejorar la calidad de vida de las personas afectadas y de sus familiares.

Señales de advertencia de agotamiento físico y psíquico creciente

- Falta de energía, sensación de debilidad y cansancio crónico.
- Sensación de pesadez en todos los miembros.
- Sensación de que todo le sobrepasa.
- Nerviosismo e inquietud interior.
- Abatimiento y desesperanza.
- Sensación de vacío interno e insensibilidad.
- Irritabilidad, sensación de enojo y de miedo, acusaciones a los demás.
- Sensación de inutilidad.
- Pensamientos sobre la falta de sentido de todo.
- No tener ganas de contactar con otras personas.
- Trastornos del sueño.
- Molestias gastrointestinales.
- Alteraciones cardiovasculares.
- Dolores de espalda y cabeza.
- Defensas del organismo bajas, por ejemplo, infecciones continuas.

El entrenamiento mental es posible

A veces no resulta tan fácil concentrarse en una actividad, reconocer algo o acordarse rápidamente de un nombre muy familiar. La causa no reside tanto en las capacidades básicas del cerebro como en que esas capacidades no están disponibles en ese momento.

Tener la mente en forma significa poder utilizar sus posibilidades intelectuales de una forma óptima. Mediante un entrenamiento específico del cerebro, esto se puede conseguir de un modo bastante rápido y mantenerse a largo plazo.

Apoyo a través de un grupo de familiares

¿Quién puede aportar más comprensión para la situación de un cuidador familiar, en todas sus facetas positivas y negativas, que alguien que ha vivido lo mismo o lo está viviendo en ese momento? ¿Quién puede tener más experiencia en superar mejor esta situación especial, ya sea desde el punto de vista organizativo, financiero o psíquico, que una persona que esté o haya estado afectada y que, como familiar, ha tenido que luchar con las numerosas exigencias? Los grupos de familiares le ofrecen la posibilidad de poder expresar, entre otras personas con situación similar, pensamientos, dudas y sentimientos, la mayoría de ellos contradictorios, exteriorizar el estrés y ordenar las emociones confusas. Es un bálsamo para el alma sentirse comprendido, ver cómo otras personas se manejan con una situación similar o cómo han aprendido a aceptarla y han recuperado así la alegría de vivir.
Los grupos de familiares están organizados en grupos de autoayuda dependiendo del cuadro de enfermedad presente o de la situación de sobrecarga.

Trabajar manualidades como terapia para la mente y las manos

Las actividades que se realizan con las manos, surgen primero como una idea. Las manualidades no solo entrenan las capacidades motrices, también mantienen la mente en buena forma.

En los siguientes libros podrá encontrar numerosos estímulos para activar la mente y las manos, aprendiendo una nueva técnica o realizando un proyecto de manualidades en ratos libres.

Índice alfabético

Tamaño del grupo

Ocasión

Tiempo requerido

Tiempo de preparación

Presupuesto

OTROS TÍTULOS PUBLICADOS